JN071469

データ思考が未来を変える

DX時代を勝ち抜くデータサイエンスの導入と活用

田中 康寛

DATA SCIENCE

はじめに

データデータサイエンスという言葉を聞くと、その響きだけで近づきたくないと思ってしまう人は意外に多いかもしれません。いろいろな理由があると思うのですが、多くの場合、「数学が苦手だから」「理系の仕事でしょう」と考えてしまうようです。次に多いのは、社内でも「自分に関連する仕事ではない」という理由です。どこか遠いところでやっていることと思っている、あるいはそう思いたいというケースです。そのお気持ちはよくわかります。

ただ、すでにデータサイエンスはみなさんにとって身近なモノやサービスを提供する企業で導入され、成果を上げています。例えばファッション業界では、ＥＣで販売する商品の出荷量予測により倉庫や要員の効率化を実現している企業もあれば、顧客の詳細な購買データに基づいてＡＩで個々人にスタイリングを提案するパーソナルレコメンドを実現している企業もあります。想像以上に広い分野でデータに基づく業務革新が行われ、その結晶である商品やサービスが私たちのもとに届けられています。

今やデータサイエンスという言葉が日常的に飛び交っている時代です。ならば、数学は苦手とか、自分には縁遠い世界などと敬遠するのではなく、どのようなものかと覗いてみてはいかがでしょうか。

本書は、そのような方々へのガイダンスです。数学が嫌いな人でもデータサイエンスを理解できることを目的としています。もちろん理科系の人にも、ぜひお読みいただきたいと思っています。そして読後、データサイエンスに関係する仕事に就きたいと思ったり、実際に就いた際には、ぜひデータサイエンスを積極的に推進してください。そのような思いで本書を書かせていただきました。

文中には私が現在、教鞭をとらせていただいている大学の講義で学生たちから受けた質問と私からの返答も組み入れました。学生たちの質問はデータサイエンスを基礎から学ぶ過程で湧いた素直な疑問ですので、読者の皆様にも必ずや参考になると思います。

それでは、最後までお付き合いくださいませ。

もくじ

Chapter 2

データが意味するもの

Chapter 3 データサイエンスの人材

Chapter 4

Chapter 5

Chapter 6

AIを何に、どう活かすか

Chapter 7

データサイエンスと倫理

DXへのデータ活用

データの重要性が昨今、様々なビジネス分野で増しています。
なぜ、どのようにデータは大事なのか。
その主旨について解説します。

データサイエンスとは何なのでしょうか

過去から学び、未来を予測する

今日、「ＤＸ（デジタルトランスフォーメーション）」の文字を見ない日はありません。ＤＸは今、ＳＤＧｓ（持続可能な開発目標）に次いで露出度が高まっているかもしれません。それに伴って頻繁に目にし、耳にするようになったの

DXへのデータ活用

が「データサイエンス」という言葉です。これほど社会に統計関連の用語が浸透したことは、歴史を遡(さかのぼ)っても稀有なことだと思います。その大きな要因の一つに、新型コロナウイルスの感染者数に関する報道があることは否定できないでしょう。しかし、コロナ禍により市場動向が読み切れなくなり、「過去のデータが将来予測に適切に役立たない」との声も聞かれます。だからこそ、長期化するコロナ禍にあって不謹慎かもしれませんが、今はデータサイエンスとは何かを考えるのに適切なタイミングなのかもしれません。

2030年に日本の国民の3人に1人が高齢者になり、その過程にある2024年には運転手不足、2025年には労働人口不足等が起こるとされています。このような近未来に想定される壁を突破するべく、多くの企業がDXに取り組み始めました。DXの構築・運用にはビジネス力、マネジメント力、デザイン力、テクノロジー力が必須になります。その核にあるのがデータサイエンスです(図1・次頁)。でも、そう言われても何のことやら、という人が多

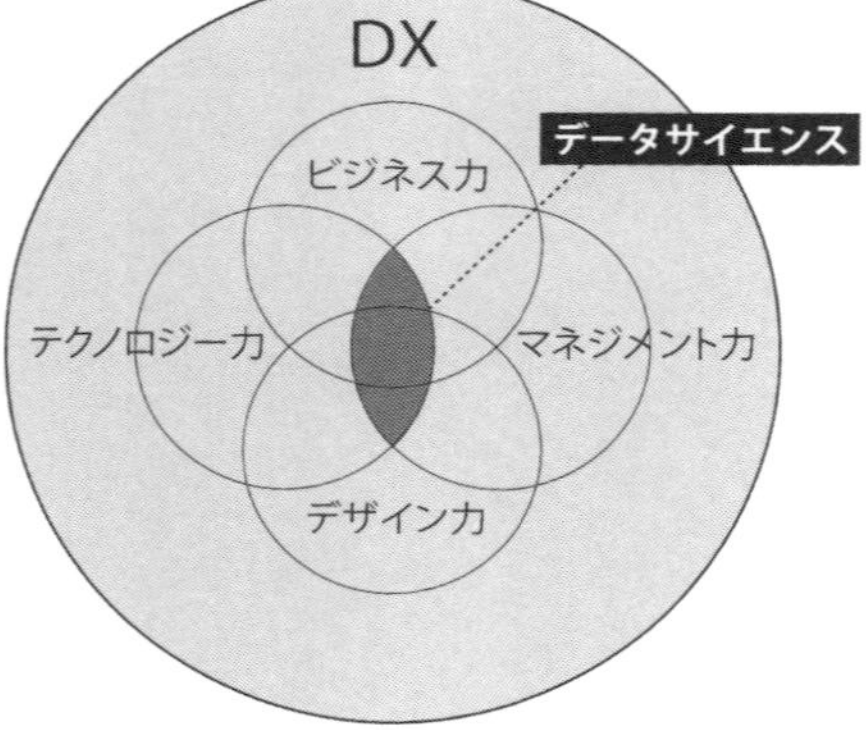

いのが現状かと思います。そもそもデータサイエンスとは何なのでしょうか。

　データサイエンスは「過去のデータの蓄積から学び、未来を予測する」こと、と考えたほうが理解しやすいでしょう。企業で言えば、データをもとに需要を予測し、意思決定を行うことに通じます。第４次産業革命と連動した新しい科学のパラダイムとして注目され、科学の世界では「データ駆動型科学」とも呼ばれています。

図１　DXの構築に必要な力

　では、なぜデータサイエンスが注目されているのでしょうか。それを説明するには、やはり第４次産業革命に触れる必要があります。世界経済フォーラム（WEF）は２０１６年と２０１７年の年次総会（ダボス会議）で、第４次産業革命の特性について次のようにまとめています。

「現在進行中で様々な側面を持ち、デジタルな世界と物理的な世界と人間が融合する環境と解釈している。すなわち、あらゆるモノがインターネットに繋がり、そこで蓄積される様々なデータを人工知能などを使って解析し、新たな製品・サービスの開発に繋げる等」

第４次産業革命の定義とも言えるでしょう。

着目したいのは「環境」というキーワードです。第４次産業革命はＳＤＧｓへの取り組みも含んでいるのです。その環境とは「デジタルな世界と物理的な世界と人間が融合」したものと述べられています。単なる統計としてのデータの利用、ＡＩ（人工知能）による分析、ツール（道具）の利活用ではなく、その主体は人間なのです。人間が中心ゆえ、倫理も重要になることを示しています。

データを情報に変換し、活かす企業文化

私は現在、データサイエンスを大学生に教えるという大役を仰せつかっています。講義である企業のデータ活用事例について話したところ、多くの学生が「ここまでデータを情報として使い、経営に活かしているとは驚きです」と、目を輝かせ、興奮気味に感想を述べていました。データの重要性を強く実感したようです。なかには「企業でデータが不要な分野は存在しない」とさえ発言する学生もいました。学生たちにとってデータサイエンスは刺激的なものと映ったのです。

その後、学生たちに課題を出しました。小売業の決済方法の研究で使用したデータに基づいて、ビジネスで実施可能な施策を検討してもらったのです。提出されたレポートの内容は驚くべきものでした。マーケティングの４Ｐ(Product

＝製品、Price＝価格、Place＝流通、Promotion＝販促）のみならず、マーチャンダイジングにおけるセグメンテーション、そして投資の再配分なども網羅したものが多くありました。学生であるがゆえにゆるさを感じる考察もありましたが、データサイエンスを取り入れることで新たな視点を生み出すことが可能と確信できる、重要な示唆があると実感しました。

企業はどうでしょう。今さら言うまでもなく、ビジネスにおけるパソコンやインターネットの活用は当たり前になっていますから、企業においてもデータ活用は着実に進んでいると私は思っていました。ところが、実際の状況は異なるようです。

ここ数年、企業から「データを使う機会が少ないのですが」といった問い合わせが増えました。企業におけるデータ活用の重要性が高まり、ＤＸへの取り組みも増加しているのに、です。なぜなのでしょうか。要は、企業の中にデータを使う「文化」が根づいていない、あるいはそもそもない。データサイエンスを取り入れる素地がないのです。

ならば、いかにデータ活用を促進していけばいいのか。持つべき視点は二つあります。一つ目の視点は、データの「情報価値」です。分析したデータが効果のある有益な情報になっているでしょうか。データを情報という価値に変換していくためには、データの整理が必要です。言い古された言葉ですが「ギャベージ・イン／ギャベージ・アウト」「ゴールド・イン／ゴールド・アウト」、つまり、ごみを入れればごみしか出てきませんが、金を入れれば金が出てきます（図２）。この原則を常に意識してデータと向き合うことで、データから生み出される情報の価値は大きく変わります。

二つ目の視点は、「組織」です。データを情報に変換するとビジネスに活かせるということが、社内の各組織で十分に理解されているか。データ活用を効果的に実行できる組織になっているか。また、若い社員が登用されているか。若い社員は即戦力にはなれないかもしれませんが、数年後には組織の中軸になる可能性が高く、その登用はデータ活用に取り組む体制を構築する施策の一つになります。上層部の想像を超える効果も期待できるかもしれません。

　企業におけるデータサイエンスの成功・失敗は、データを使う文化の有無、あるいはその文化を

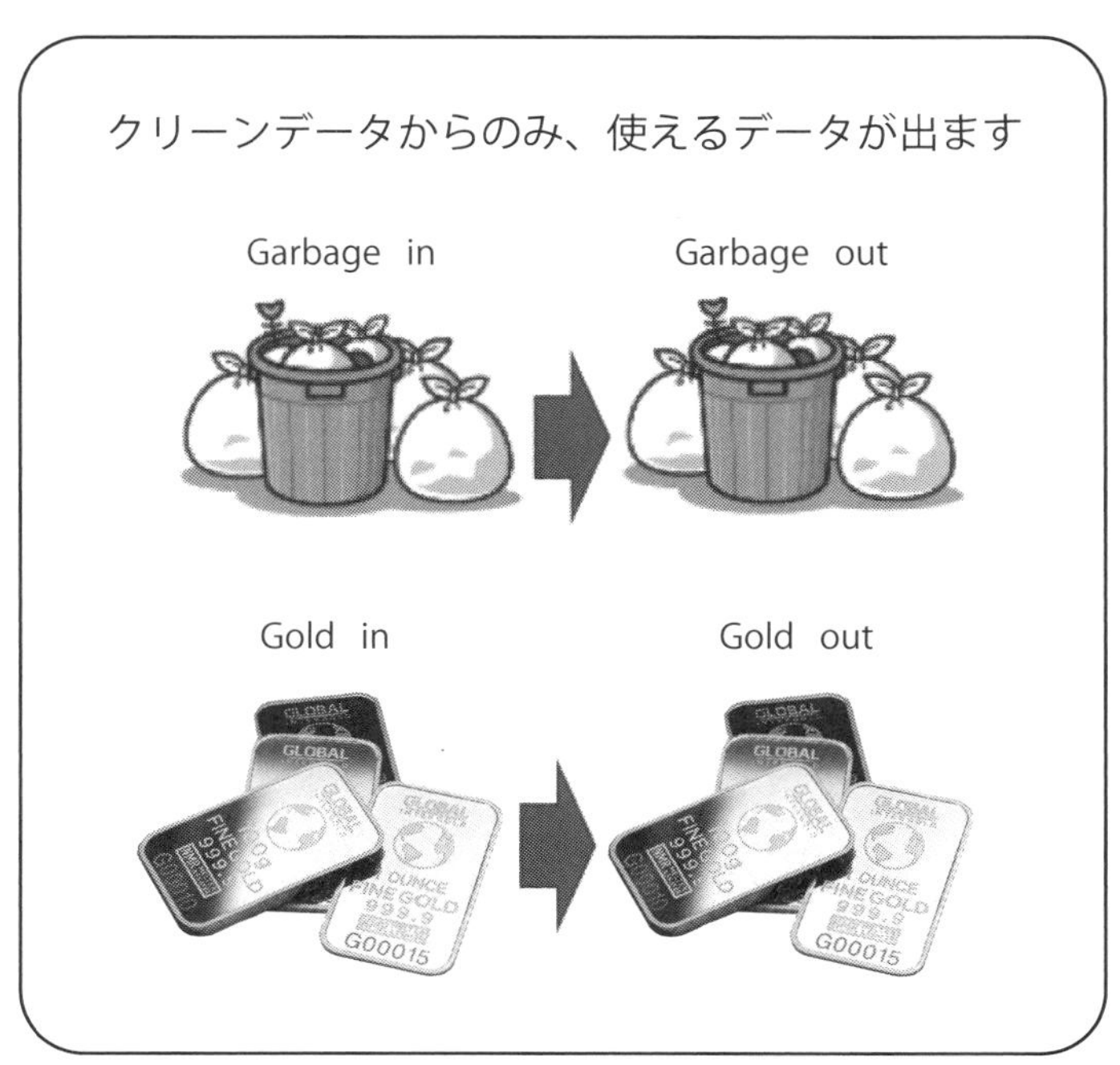

図2　「Garbage In, Garbage Out」のイメージ

作ろうという意思の有無にかかっています。経営陣やミドルマネジメント層に新たな風を受け入れる度量があるか否かが試されているのです。その受け入れ度合いによって、データサイエンスを定着させられるか否かが決まり、ＤＸの成否さえ占えてしまうということを、まずは認識する必要があります。素地なしに「データサイエンスの定着＝ＤＸの成功」とはなりません。

「Ｓｏｃｉｅｔｙ５．０」が目指す社会

我が国では目指すべき未来社会の姿を「Ｓｏｃｉｅｔｙ５．０」（図３・22〜23頁）として、２０１６年からの第５期科学技術基本計画（内閣府）において次のように説明しています。

「情報社会（Ｓｏｃｉｅｔｙ ４・０）では知識や情報が共有されず、分野横断的な連携が不十分であるという問題があると言われてきました。人が行う能力に限界があるため、あふれる情報から必要な情報を見つけて分析する作業が負担であったり、年齢や障害などによる労働や行動範囲に制約がありました。また、少子高齢化や地方の過疎化などの課題に対して様々な制約があり、十分に対応することが困難でした。

Ｓｏｃｉｅｔｙ ５・０で実現する社会は、ＩｏＴ(Internet of Things)で全ての人とモノがつながり、様々な知識や情報が共有され、今までにない新たな価値を生み出すことで、これらの課題や困難を克服します。また、人工知能（ＡＩ）により、必要な情報が必要な時に提供されるようになり、ロボットや自動走行車などの技術で、少子高齢化、地方の過疎化、貧富の格差などの課題が克服されます。社会の変革（イノベーション）を通じて、ややもすると窮屈に感じるような閉塞感を打破し、希望の持てる社会、世代を超えて互いに尊重し合える

これまでの社会
少子高齢化や地方の過疎化などの
課題に十分に対応することが困難
少子高齢化、地方の過疎化など
の課題をイノベーションにより、
克服する社会
ty 5.0
ロボットや自動運転車などの支援
により、人の可能性がひろがる
社会
これまでの社会
人が行う作業が多く、その能力に限界があ
り、高齢者や障害者には行動に制約がある

これまでの社会

必要な知識や情報が共有されず、
新たな価値の創出が困難

IoTで全ての人とモノがつながり、
様々な知識や情報が共有され、
新たな価値がうまれる社会

Socie

AI により、多くの情報を分析するなどの面倒な作業から解放される社会

これまでの社会

情報があふれ、必要な情報を見つけ、
分析する作業に困難や負担が生じる

図 3　Society 5.0で実現する社会（内閣府作成）

社会、一人一人が快適で活躍できる社会となります」

この内閣府発表には「知識や情報が共有され、今までにない新たな価値を生み出す」や「必要な情報が必要な時に提供される」などの言葉があります。これらが指し示しているのは、まさにデータサイエンスが生み出すものです。また、「世代を超えて互いに尊重し合える社会、一人一人が快適で活躍できる社会」とは、若者の出番がくることを表しているのではないでしょうか。

業務改革、ニーズ変化への対応を促すＤＸ

データサイエンスが核となって推進されるのがＤＸ、と述べました。ＤＸと

は何かについて説明します。ＤＸはDigital Transformationの略語です。デジタルの「Ｄ」はわかるけれど、なぜトランスフォーメーションが「Ｘ」なの？と思う人もいるのではないでしょうか。これは、接頭辞の「Trans」を省略する際に「Ｘ」と表記することが多いためです。ＤＸの概念は、２００４年にウメオ大学（スウェーデン）のエリック・ストルターマン教授によって提唱されました。その骨子は「進化し続けるテクノロジーが人々の生活を豊かにしていく」ということです。

日本では経済産業省が次のようにＤＸを定義しています。

「ビジネス環境の激しい変化に対応し、データとデジタル技術を活用し、顧客や社会のニーズを基に、製品やサービス、ビジネスモデルを変革するとともに、業務そのものや、組織、プロセス、企業文化・風土を変革し、競争上の優位性を確立すること」

同省は2019年に「DXレポート～ITシステム『2025年の崖』克服とDXの本格的な展開」（図4・28～29頁）という報告書をまとめました。その内容は非常に衝撃的で、各企業が抱える既存システムに関してこう警鐘を鳴らしました。

・老朽化した既存の基幹システムがDXを推進する上での障壁になる
・2025年までにシステムの刷新をしないと、それ以降、年間で最大12兆円の経済損失が発生する可能性がある

このような大変化に対応するべく、今こそシンプルでわかりやすいシステムを組み立てる準備が必須であることを明示したのです。

とはいえ、DXには様々な解釈が存在し、そのことが実体をわかりづらくしているのも事実です。もう少し噛み砕いてみましょう。私はシンプルに、こうDXを定義しています。

「業務改革をデジタルの力を使いながら行うこと」

かつて業務改革は流行語となってしまうくらいに各社が推進した時期がありましたが、目的を達成できた企業もあれば、中途半端に終わった企業もあり、結果は様々でした。しかし、これまでの業務改革がIT導入による業務の効率化だったのに対して、DXはデジタル化によって企業のビジネスモデルそのものを作り替えることです。全ての企業に共通して必須の取り組みであり、企業の存続を左右すると言っても過言ではありません。

それほどDXが重要性を増した背景として、「Society 5.0」や「2025年の崖」もありますが、やはりコロナ禍による影響は大きくあります。実際、パンデミック以降は私自身、DXに関してお話しする機会が増えています。今後はこれまで以上に、アフターコロナを見据えた業務改革に向け、DXが必須になります。DXは多岐にわたる業務と関係するため、その進め方は十社十色ですが、そもそも何のためにDXに取り組むのか、自社に相応しいベクトル（仮説）を定めることが必要です。

・経営者が DX を望んでも、データ活用のために上記のような既存システムの問題を解決し、そのためには業務自体の見直しも求められる中（＝経営改革そのもの）、現場サイドの抵抗も大きく、いかにこれを実行するかが課題となっている

→この課題を克服できない場合、DX が実現できないのみでなく、2025 年以降、最大 12 兆円／年（現在の約 3 倍）の経済損失が生じる可能性（2025 年の崖）

→ 2030 年

最大12兆円／年
の損失

放置シナリオ

ユーザ：

✓爆発的に増加するデータを活用しきれず、デジタル競争の敗者に

✓多くの技術的負債を抱え、業務基盤そのものの維持・継承が困難に

✓サイバーセキュリティや事故・災害によるシステムトラブルや
データ滅失・流失等のリスクの高まり

ベンダー：

✓技術的負債の保守・運用にリソースを割かざるを得ず、
最先端のデジタル技術を担う人材を確保できず

✓レガシーシステムサポートに伴う人月商売の
受託型業務から脱却できない

✓クラウドベースのサービス開発・提供という世界の主戦場を
攻めあぐねる状態に

＜ 2025 年までにシステム刷新を集中的に推進する必要がある＞

2025年の崖　多くの経営者が、将来の成長、競争力強化のために、新たなデジタル技術を活用して新たなビジネス・モデルを創出・柔軟に改変するデジタル・トランスフォーメーション（＝DX）の必要性について理解しているが…

・既存システムが、事業部門ごとに構築されて、全社横断的なデータ活用ができなかったり、過剰なカスタマイズがなされているなどにより、複雑化・ブラックボックス化

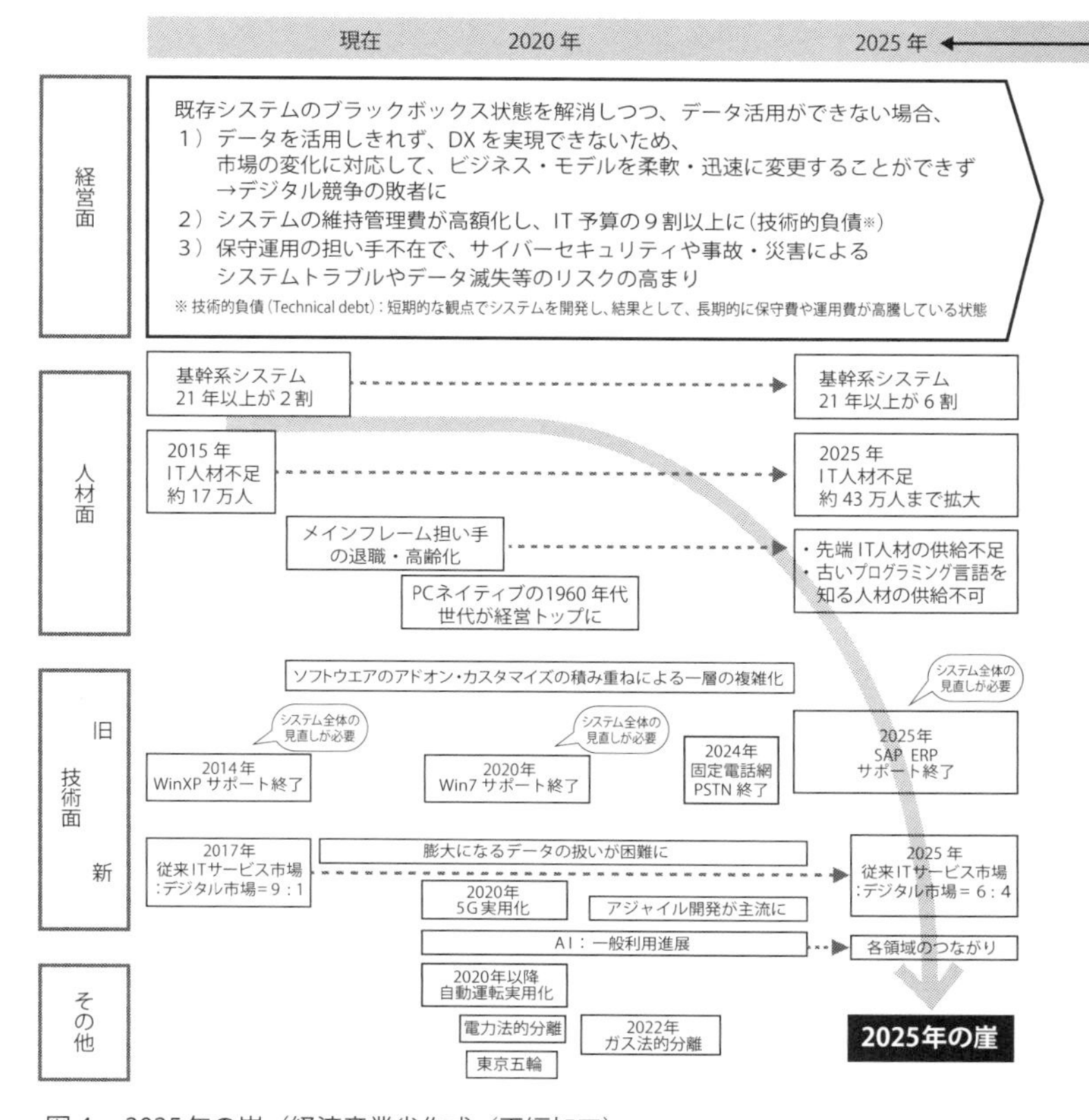

図4　2025年の崖（経済産業省作成／再編加工）

また、コロナ禍で生活者の行動様式が大きく変わったと言われます。以前は会社に行って仕事をするオフィスワーク一辺倒でしたが、オンラインによる在宅ワークがもう一つの働き方として位置づけられました。基本的にオンラインで業務の遂行が可能になれば、通勤の必要はなくなります。例えば、都心の会社との往復に数時間も費やす必要がなくなる。結果として、通勤中の時間を有効に使う視点で提供されるサービスは、生活者にとって有益性が感じられにくくなります。そうなると、在宅で活用できるサービスや製品の開発・供給が急務になります。都心から郊外へと引っ越し、オンラインで業務を

観光庁が進める「ワーケーション&プレジャー」(国土交通省観光庁HPより／2022年7月12日現在)

遂行するという人も増えています。都心からの脱出の流れに対応するには、都心で有益性を感じられるサービスや製品に代わって、郊外で有益に活用されるサービスや製品の開発・供給が必要になります。

さらに重要な視点があります。日本企業の多くは、独自にサービスや製品を開発する一方、欧米や中国など海外の取り組みを習得して日本のマーケットにマッチするサービスや製品を完成させるというパターンを採ってきました。しかし、コロナ禍によりビジネス環境は大きく変わりました。欧米や中国も同じウィズコロナの環境下で、マーケットを理解し、サービスや製品の開発を進めていかなくてはなりません。そのために必須なのがDXであり、だからこそDXの核を成すデータサイエンスはとても重要なのです。データサイエンスを確立することが、結果的にDXを推進させます。激変の渦中にある今だからこそ、データサイエンスの確立は重要かつ急務なのです。

1

データを起点とした「協創」がカギ

顧客理解へのデータ連携を

新型コロナの猛威により、世界経済は大打撃を受けました。「米国のＧＤＰは過去最大の落幅　マイナス28％以上に」「猛威が収束　経済が元に戻る構図にはならない」などの報道がなされています。経済の問題はもちろん大切ですが、

最も考えるべきなのは「前例がない」事態に直面していることです。しかし、データサイエンスを確立することができれば、暗闇を手探りで進むようなことにはなりません。

これまでのBtoC（小売業の場合）のビジネスで、マーケターが常に志向したのは「顧客中心」ということでした。顧客との接点を作り、その満足度を高めるため、近年はデジタルを使った様々な手法が出現しました。オムニチャネルはその典型と言えるでしょう。しかし、顧客（生活者）中心という視点においても、不足はなかったでしょうか。残念ながら、顧客のデータを集めてはいても、データサイエンスには至っていなかったため、顧客の実体を捉えきれていなかった企業が存在したと感じます。

このような課題の解決に向けてキーとなるのがデジタルツインです。ＩｏＴ（モノのインターネット）を通じてフィジカル空間から得た顧客の行動データをサイバー空間に再現する技術です。様々なデータを連携させ、データから顧客ニーズを理解し、未来をリアルに予測する必要があります。なぜ、何を、どう連携すべきかを明確にした業務改革が必要です。既存のやり方の手直しだけでは、多様化の本質を捉えきれず、成長は期待できません。

経済界はＤＸをどのように捉えているのでしょうか。日本経済団体連合会（経団連）はＤＸについて次のように提言しています。

「デジタル技術とデータの活用が進むことによって社会・産業・生活のあり方が根本から革命的に変わること。また、その革新に向けて産業・組織・個人が大転換を図ること」

その上で、日本発ＤＸが目指すものは「価値協創型＝多様な主体の協創による生活者の価値の実現」とし、そのための要素を三つ挙げています。

①既存の部門や業種の垣根をなくし、生活者価値を共有する同業種・異業種、

スタートアップ、アカデミアなど、政府・自治体などさまざまな主体が有機的かつ自律的に協創を進めるモデル

②従来の企業連携・業務提携にとどまるものではなく、生活者価値の実現を目的とした、より抜本的で有機的な連携の推進

③生活者の意思に基づき、多様な主体間での信頼あるデータ連携を進める

企業戦略を考えるときには、現業を基本としながら、「新規事業視点」や「協創」が必要です。まず、データに基づいて自社の強みを明確にする。そして企業として成長するために必要な要素は何かを、ビッグデータなどのデータをもとに検討し、異業種連携など新たな協創を模索することも一つの方法です。最近の気になる事例を紹介します。

●事例　ウォルマートの「トレードマーケティング」

自社の強みを活かすという意味で、ウォルマートは典型でしょう。言わずと

知れた世界最大の小売業です。4700超の店舗を展開し、ECとの連動により、さらにマーケットを拡大しています。毎月の実店舗客数は実に3億人、オンライン客数は数百万人もいます。同社が展開しているのが「トレードマーケティング」という戦略です。この分野の研究者であるゲイリー・デービス氏によると、トレードマーケティングの特徴は「小売業者を流通チャネルの一構成員として見るのではなく、顧客として考える」ことです。店舗そのものが顧客ですから、そこで展開する商品は自ずと顧客ニーズに基づいて揃えられます。そのときに強みとなるのが、月間3億人から取得される顧客行動データなのです。

●事例　ビームスのBtoB事業

もう一つの事例は、日本を代表するセレクトショップのビームスです。同社は小売業でありながら、かなり以前からBtoB事業に取り組んできました。これを強化し、ファッション提案で培ってきたノウハウの提供を進めています。

店舗でダイレクトにお客様のニーズやウォンツを知ることができ、加えて店舗を新しい商品やサービスを紹介するプラットフォームとして活用できる。この基盤を活かし、異業種のクライアントのニーズに寄り添っているのです。自社の強みを基軸とした協創と言えます。

●事例　丸井グループの「売らない店」

丸井グループは、また違った切り口で協創に取り組んでいます。2021年5月に発表した中期経営計画で、「店舗とフィンテックを通じて『オンラインとオフラインを融合するプラットフォーマー』を目指す」とし、「売らない店」を標榜しています。自店の常設売り場を体験ストアに転換していくことが、その主旨です。靴であれば、来店したお客様はサンプルを試し履きし、店頭に設置された専用タブレットで購入すると、商品が自宅に無料配送されます。このビジネスモデルを作った米国サンフランシスコ発の「b∞ta（ベータ）」も出店し、より強く「売らない店」が印象づけられました。DtoCビジネスにおける実店舗のポジショニングを明確に示した協創戦略と言えます。

DXの精度を上げる「ヒューマンセントリック」

データサイエンスに基づく協創戦略を遂行する際に忘れてはいけないのが、「ヒューマンセントリック」の考え方です。人すなわち顧客の視点に立って、顧客の価値観を理解し、それに適う顧客体験を提供する。小売業の基本ではありますが、飛躍的に利便性が高まる環境下であるからこそ、顧客とともに、改めてマーケティングに携わる「人」の重要性を認識しなければいけません。それによって需要予測も確かなものになっていくからです。

かつて需要予測に際して取得・保持していた主なデータは次のように分類できます。

・社内データ……商品の売り上げトレンド
・オープンデータ……世の中のイベントなど
・ビッグデータ……商品のトレンド、顧客属性のトレンド

データ分析者は、これらの中でも商品の売り上げ動向に基づいて、次に起こる需要を予測していました。この予測を踏まえ、現場の責任者が自分の経験則から次のトレンドを判断し、品揃えをして売り場に投入していたのです。つまり、現場の責任者はデータに加えて、「どのようなお客様が購入しているのか」「季節やイベントとの関連性」など、現場にいるからこそ捉えられる人の心理・感情に関わる要素も見ていました。数値のデータと現場の知見を組み合わせてトレンドを探っていたのです。

みなさん、あれ？　と思ったでしょう。右記の事例について学生たちに話し

たときにも、そんな反応が見られました。「これってデータサイエンスの話だよね？」と。続けて「データサイエンスでトレンドの分析もしていなかったの？」「そういうシステムができていなかったの？」などの声が上がりました。まさにその通りで、かつてのデータサイエンスはお客様という実体を見ていなかったのです。売り上げという数値は分析しても、世の中のトレンドなどを重要視していませんでした。現場のプロのノウハウを活かしていくには、それを可能にするデータの取得方法や分析手法から考案する必要があります。データサイエンスに携わる分析者と現場の責任者という、人の連携が大切なのです。

データサイエンスの実行にも協創は不可欠ということです。ましてや、新型コロナのパンデミックにより、企業を取り巻く環境は大きく変わりました。オンライン活用など新常態があっと言う間に常態化し、ライフスタイルが大きく変わりました。事業計画を完全に壊された企業もあります。２０３０年までに達成すればよしとしていた計画を、２０２５年前後にまで早めなければならなくなったという企業も少なくありません。また、かつては欧米、あるいは中国を真似ていけば概ね大丈夫という業種も多々ありましたが、コロナ禍で皆が同じスタートラインに立つことになりました。多くの日本企業で慣習となっていたKDD（感＝K、度胸＝D、出たとこ勝負＝D）では通用しません。需要予測の精度向上とスピードアップを求められるようになります。データサイエンスを中核としたDXの精度を一気に上げ、業務改革を進めていくことが急務なのです。

顧客体験の向上へ、部署間の連携を

これまで企業における需要の分析・予測は、それを専門とする部署が単独で

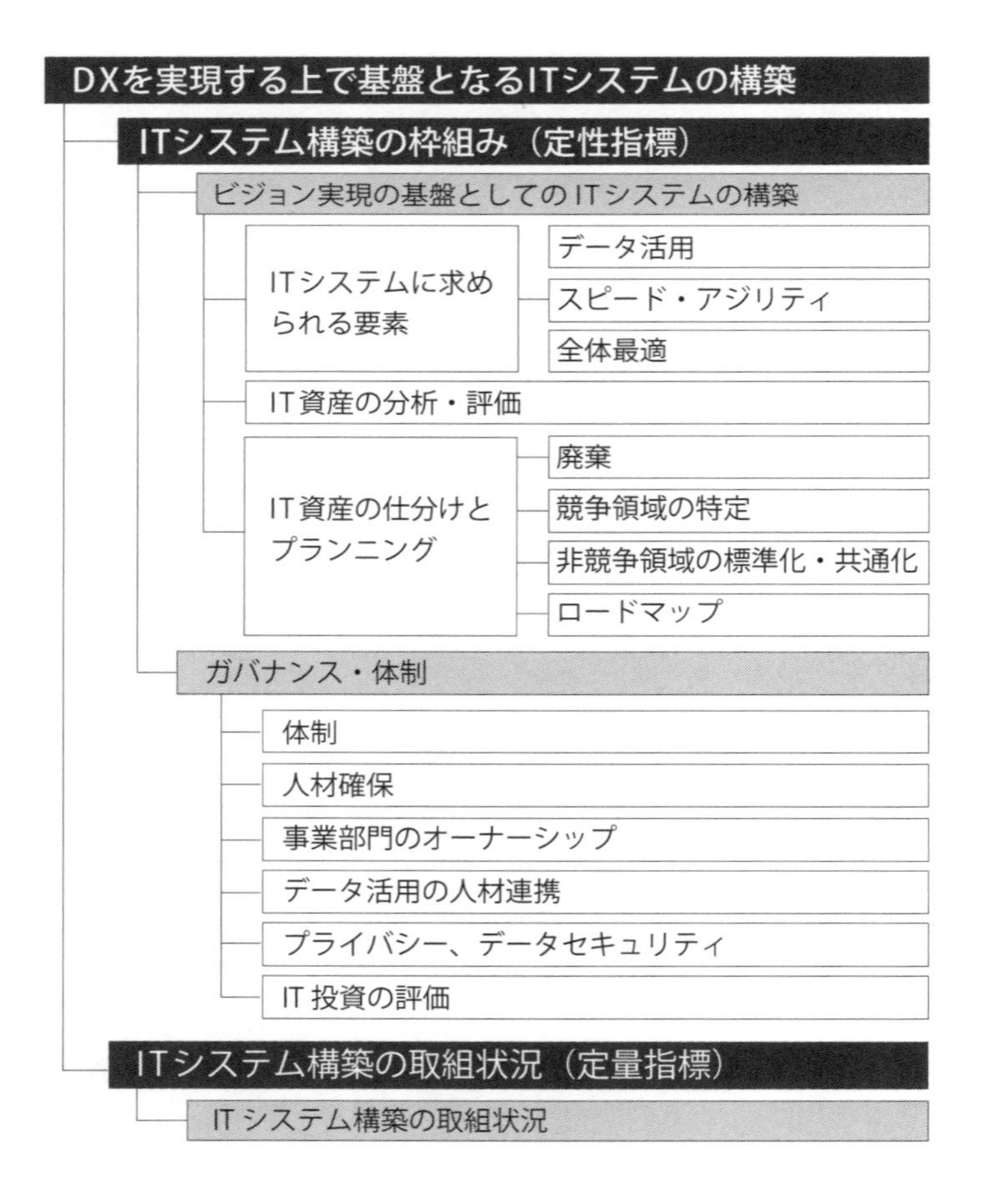

出典：経済産業省「産業界におけるデジタルトランスフォーメーションの推進」（再編加工）

- DX 推進のための経営のあり方、仕組み
  - DX 推進の枠組み（定性指標）
    - ビジョン
    - 経営トップのコミットメント
    - 仕組み
      - マインドセット、企業文化
        - 体制
        - KPI
        - 評価
        - 投資意思決定、予算配分
      - 推進・サポート体制
        - 推進体制
        - 外部との連携
      - 人材育成・確保
        - 事業部門における人材
        - 技術を支える人材
        - 人材の融合
    - 事業への落とし込み
      - 戦略とロードマップ
      - バリューチェーンワイド
      - 持続力
  - DX 推進の取組状況（定量指標）
    - DX による競争力強化の到達度合い
    - DX の取組状況

図 5　DX 推進の仕組み

行うことが一般的でした。しかし、データや情報は顧客動向やトレンドなど多岐にわたり、販売やマーチャンダイジング、マーケティング、物流など複数の業務にまたがって蓄積されています。つまり、データサイエンスを的確に進めるためには、これらに関係する部署を連携させなければなりません。改革が必要なのです。デジタルを活用したデータの取得や分析を通じて顧客体験の向上へとつなげていく業務改革がＤＸであると言えます。データを扱う人と様々な現場の知見を連携させ、着実に結果を出す――ＤＸの推進はデータサイエンスそのものなのです（図5・42～43頁）。

そのことを理解していただくため、私の経験から一つの事例を紹介します。

●事例　ＰＢ商品の分析

あるコンビニエンスストアでＰＢのパンを販売していました。データを分析した結果、このパンを購入している顧客の客単価（バスケット単価）が異常に高いことがわかりました。いつ売れているのか店頭で調査したところ、夜遅くでした。夜遅い時間帯で客単価の高い顧客のバスケット（買い物かご）を見ると、その８割にＰＢのパンが入っていたのです。

そこで私たちは、このパンを「明らかにリードする商品」という属性にセットしました。そしてプロジェクトを組み、このパンを購入する顧客がどのような人かを推測してストーリーを作り、それをもとに販促企画を組み立てました。しかし実行に移そうとした矢先のこと、ＰＢのパンの生産が終了となってしまったのです。その結果、夜遅くの時間帯の客単価が低下しただけでなく、このコンビニエンスストアから離反にまで至った顧客が何と３割に上りました。

これはかなり以前の出来事ですが、私にとって大きな反省事例です。「商品と顧客を連携させた」ことは評価すべき点だと思っています。しかし、あのときに商品企画部門がプロジェクトに参画していたら、と今でも思うのです。企業がデータサイエンスに取り組む上で、またデータをＤＸに結び付けていくに当たって、重要な示唆となる事例だと考えています。商品企画部門と連携して分析や改善、企画を進めることができていれば、対象のお客様が同社の店から離れることもなく、ＬＴＶ（ライフタイムバリュー＝顧客生涯価値）の向上も促されていたかもしれません。さらに言えば、次期の商品開発にも少なからず役立ったのではないかと考えています。

データサイエンスの重要性やＤＸとの関係を理解していただけたと思います。

ＤＸを推進する人材とデータ

ＤＸを構築し、運用していくためには、

・プロデューサー（DX推進責任者）
・DXマネジャー（DX現場責任者）
・サービス担当（企画）
・システム技術担当（システム専門）
という多様な人材が必要です。

これらのメンバーでデータの取得方法の考案から収集、分析、需要予測、現場に落とし込む企画の立案などを行っていきます。データの取得先には、IoT、AI、ビッグデータなど様々あります。自社はもとより、パートナー企業など各所から集めるため、データ量は膨大になります。膨大なデータの格納が必要になっている今、クラウドの活用も必須でしょう。

これらのデータから顧客への理解を深めることが可能になります。顧客の長期かつ多岐にわたる行動や購買に関するデータを収集することで、顧客の行動のみならず、その行動に伴う心理の変化も分析することが可能です。以前はこのように長期かつ多岐にわたるデータを収集し、関連するデータを紐づけて分析することがあまりできていませんでした。データを全てオンプレミス（情報システムを自社内に設置・管理・運用すること）型で収集するのが、そもそもデータ爆発時代には非現実的だからです。それがクラウドにより容易になりました。

続いて、ＩｏＴやＡＩについて考えてみましょう。

ＩｏＴはモノのインターネットと訳され、様々なモノ（例えば家電製品やウェアラブル端末等）をインターネットに接続し、モノを起点としたデータの収集が可能です。ＡＩは、データから知恵を生み出す分析ツールとしての活用が期待されます。ＩｏＴやＡＩを活用することによって、企業の方向性をより明らかにしていけると思います。なぜならば、顧客の購買行動やその背景などを基本に、顧客特性を深く理解した結果として、企業の利益に寄与する活動を円滑にするからです。

以前は長期にわたって、しかも広義から狭義へと顧客の行動データを蓄積し、分析することはシステムとして難しかったのですが、現在はクラウドにより行動とその背景にある心理まで分析することができます。それもデジタルツイン（フィジカル空間で集めたデータをサイバー空間に再現したもの）を作るプロセスのように、です。ＤＸを推進するデータサイエンスにおいて重要なヒューマンセントリック、すなわち人間主体のシステムを使い、人間を理解していけるようになっています。

コロナウイルスの猛威により生活者の行動は大きく変わり、今後はデジタル化のさらなる進展で変化が加速すると予測されます。ＳＤＧｓへの対応も必須です。的確なデータを情報価値化するＤＸを進めていけなければ、顧客を見失い、業績回復は遥か彼方に去っていくでしょう。生活者と事業者、人と人の関係性がデジタルでつながる時代になります。ならば人間らしさを追求し、人としての心をデジタルに注入していかなければなりません。

人間主体のＤＸを推進していくに当たって、行動経済学は重要なヒントを与えてくれます。経済学は「人間は合理的な判断をする」ことを前提としていますが、行動経済学は人の心理や考え方を踏まえ、どんな状況のときにどんな経済的行動を選ぶ傾向があるのかを見ます。言い換えれば、顧客が置かれた状況やそのときの感情を分析するのが行動経済学です。そのようなことをデジタルで行うのがデータサイエンスと言えます。

変化と結果を受け入れる

ＤＸは魔法の杖ではありませんが、確実に将来に光を照らしてくれるものです。現在の経営環境からすれば躊躇してはいられません。企業が方向性を持てば、必要な陣容が見え、データ活用後の検証も進んでいくのではないでしょうか。

ＤＸの推進に必要な人材の育成についても、教育現場での取り組みが進んでいくことが期待されます。ただし、人材の育成にはビジネスの現場を牽引(けんいん)している方々の知力やマインドが不可欠であることを付記しておきます。

ＤＸを推進する上で、もう一つ重要なことがあります。企業が結果や変化を受け止められるか否かです。ＤＸの内容がそれまでの自社の方向性と真逆なものになった場合や、変化が必要という結果が出た場合に、どういう判断をするのか。もし拒否したとしたら、ＤＸの推進メンバーはどう思うでしょうか。学生たちに尋ねてみました。

高木さん　何のために頑張ってきたかわからなくなるし、変化の拒否を繰り返されると、努力することを止めると思います。

渡辺さん　結果を評価されないと、やはりモチベーションは下がりますね。

浜田さん　経営判断が旧態依然なので、指針の精度が悪化してしまい、企業の存続さえも厳しいものになってしまうのではないでしょうか。

過去の予測と違うデータや情報を受け入れられるか否かで、経営陣を代表する方々の度量を見極められてしまうのです。受け入れる度量がなければ、企業に望まれる文化が育たないどころか、企業としての生き残りさえ左右されます。経営陣は、このことを肝に銘じてＤＸに取り組んでいただきたいと思います。

過去と相違する結果は、自己否定になるものではありません。しっかりと修正することで軌道を大きく逸脱することを回避できる、という改めて語るまでもない結論が出てきます。これからの真の経営者には、ロジカルシンキングがさらに求められることになるでしょう。学生からはこんな指摘もありました。

渡辺さん　新しい製品やサービスの企画や開発など、いろんなプロセスでデータサイエンスへの注目が高まっています。まさに時代の要請なのだとわ

かります。製品の開発だけでなく、生産効率もより求められてくるのではないでしょうか。しかし、なぜ日本ではデータサイエンスが求められながらも定着が後れているのか、すごく気になります。

講師

いい視点ですね。企業としての存亡に関わる、すごく重要なことです。そこで各企業は、こぞってデータサイエンスを導入・定着させようとしています。併せてＤＸも展開していこうとしているのです。しかし、前に述べたようにデータを活用する企業文化が育っておらず、他にも原因があって日本におけるデータサイエンスの定着は後れています。それについては第3章で解説しますね。

Chapter 2 データが意味するもの

あらゆる物事がインターネットでつながる時代。
データが爆発的に増加し、データの活用も大きな課題です。
何にどう活かすべきなのでしょうか。

増殖・多様化し続けるデータをどう活かすか

「データ」と「情報」の違い

私たちは日頃からデータという言葉をよく使っています。でも、どのようなときに使っているのでしょうか。学生に尋ねると次のような答えが返ってきました。

村上さん　例えば「その結果はどのデータをもとに判断したのか」「こんなことがわかるデータはないかな」などです。

講　師　そうですね。では、「データとは何か」と試験問題として出されたら？ちょっと困りものかもしれませんね。

データという用語は、国際標準化機構の「ＩＳＯ／ＩＥＣ２３８２―１」および日本産業規格の「Ｘ０００１情報処理用語―基本用語」で次のように定義されています。

A reinterpretable representation of information in a formalized manner suitable for communication, interpretation, or processing
（情報の表現であって、伝達、解釈または処理に適するように形式化され、再度情報として解釈できるもの）

ちなみに、コンピュータのデータは「コンピュータを使って伝達、解釈または処理に適するように形式化されたもの」と定義されています。

これはなかなか理解が難しいかもしれません。もう少し身近な例として、台風の予報について考えてみましょう。「北緯○度○分　東経○度○分　速さ○キロ時　強さ○ｈＰａ」という予報があったとします。予報は数値という客観的なデータで示されますが、その意味が生活者に理解され得るかはあやしいところです。企業で事業計画について数値を挙げて説明しても、全社員に理解されやすいかは別なのと同じです。

台風の予報で私たちに必要なことは、いつ頃、私たちのところに近づくか、いつ頃から雨が降るか。雨や風の強くなるタイミングなどを知りたいので、「北緯○度○分……」といった情報をもらってもピンとこないかなあ。

講師　実際に欲しいのは、自分たちが行動をしていく上で判断材料として使える情報ですね。この場合、まず知りたいのは、いつ台風が接近するのかといった「事項」、つまり本当に知りたい情報の内容です。その情報を裏づけるデータとして「北緯〇度……」などの「項目」があります。台風に関する事項＝情報、台風の規模や位置などの項目＝データ。この区別はデータサイエンスにおいて非常に重要です。

すると、「自分ならこんな情報があるといい」という意見も出ました。

高木さん　過去・現在も含めた台風の位置情報、周りの気圧配置ですね。それから過去の台風の動きに関するデータも。そうしたデータや情報も組み合わせて将来を予測して、何時頃に上陸するかをわかるようにしたいです。

渡辺さん　それと合わせて、何時頃からどのくらいの強さで風が吹き始める、雨の降り方はこのくらいになるなどの情報があるといいかな。

講師

データと情報の位置づけは理解できたようですね。データと情報の関係を企業の業務に置き換えてみましょう。もしデータと情報が混在した状態で業務を回そうとしたら、分析するだけで時間がかかってしまいます。普段、何気なく当たり前に使っている言葉を説明するのはなかなか難しいことですが、定義を理解することで、関連する方々に理解してもらいやすくなります。

情報爆発からビッグデータへ

第1章で解説した第4次産業革命の進展により、今後はさらにデータがあふれ、データサイエンスが必要とされる場面が増えてくると想定されます。思えば、

過去にもデータが増えたことがありました。１９９０年代には大量のデータを時系列で目的別に蓄積する「データウェアハウス」が開発され、データもまたどんどん増えました。このシステムはデータの増加とともに進化を遂げ、現在も多くの企業で活用されています。

その進化の渦中にあった２００５年頃から徐々に起こったのが「情報爆発」でした。これとともに「情報疲労」という言葉も広まりました。それぞれの意味は次の通りです。

- 情報爆発……データが爆発的に増えること
- 情報疲労……情報爆発に対処するのが困難になること

では、なぜ２００５年以降、データが爆発的に増えたのでしょうか。

高木さん　スマートフォンですか？

村上さん　iPhoneが発売された頃ではないですか。

渡辺さん　そうだ。現在（２０２２年）、iPhone は13世代ですね。ということは、発売は２００８年頃かな？

そうなのです。iphone は２００７年１月９日に発表され、２００８年６月29日にアメリカで発売されました。携帯電話のコンセプトを打ち破る情報端末としてライフスタイルに大きな変革をもたらし、今なお進化し続けています。２０２０年には累計販売台数が20億台を突破し、ユーザー数は10億人を超えました。加えて、インターネットに常時接続という、まさに革命的端末となったのです。他にもスマートフォンはたくさん開発されていますから、発生するデータ量は想像を絶します。

端末の進化と市場拡大を背景に、情報爆発は２０１０年代中頃からビッグデータという言葉に置き換えられるようになりました。データは情報として活かせなければ価値を生みません。そこで爆発的かつ多様に増えたデータをデータウェアハウスなどのシステムで使いやすく整理して保管するようになりました。データが爆発的に増加しても、情報疲労をあまり起こすことなく分析することを可能にしたのです。活用を前提として収集されることから、単なるデータ量の増加を示す情報爆発と区別してビッグデータと呼ぶようになったという経緯があります。

データサイエンスで重要な

単位	読み方	数値表記（バイト）	
B	バイト	1	バイト
KB	キロバイト	1,000	千バイト
MB	メガバイト	1,000,000	百万バイト
GB	ギガバイト	1,000,000,000	十億バイト
TB	テラバイト	1,000,000,000,000	兆バイト
PB	ペタバイト	1,000,000,000,000,000	千兆バイト
EB	エクサバイト	1,000,000,000,000,000,000	百京バイト
ZB	ゼタバイト	1,000,000,000,000,000,000,000	十垓バイト

表1　データサイズの単位

役割を果たすのがビッグデータです。普段はデータの単位を意識することはあまりないでしょうが、このビッグとはどれぐらいビッグなのでしょうか。コンピュータで扱うデータの大きさを明確にするため、データにはバイトという単位が設定され、容量に応じて「○○バイト」と呼び分けています（表1）。KB（キロバイト）、MB（メガバイト）、GB（ギガバイト）、TB（テラバイト）は家電製品などに存在する単位なのでイメージができたり、聞いたことがあったりすると思います。でも、それ以上になると見たことも聞いたこともないという人もいるのではないでしょうか。

村上さん　教科書などに出ているのは、大きくてもP（ペタ）、あるいはE（エクサ）ではないでしょうか。

講　師　商用のデータベースなどであれば、そのくらいまでの容量で間に合うとも考えられますが、これからはさらに大きなデータを扱うことになります。

ほんの少し前までは理解が及ばないほど膨大なデータサイズがありましたが、あっと言う間に実感できるようになりました。それほど情報爆発は急激だったのです。

ＩｏＴがもたらすもの

ＩｏＴは、「モノのインターネット」と言われます。モノを介したインターネットによるデータ取得が可能になり、身体に装着するウェアラブルタイプなど、すでに多様な端末が身の回りに存在しています。

それほど普及してきているＩｏＴですが、実は標準規格として定義されていません。概念的な意味合いが強い用語なのです。データサイエンスで使う用語には定義がないものが結構あります。いかに多様なコトやモノがデータを発生させ、広め続けているか、ということの証左と言えるでしょう。

ＩｏＴが浸透するとあらゆるモノにまつわる状況を情報としてリアルタイムに収集できるので、データ量は膨大になります。このビッグデータをＡＩなどで分析することにより、新たな製品やサービスが生まれます。ビジネスのあり方が大きく変化し、その結果として産業の大変革＝第４次産業革命が起こっていくのです。この大変革を生き残るため、各企業が新しい価値を提供すべくＤＸの構築に邁進しています。

ＩｏＴによって、例えば次のような情報の収集が可能です。

・スマホへの搭載　↓　スマホの利用内容から生活者の行動をより詳細に把握可能
・家電製品への搭載　↓　家電の利用内容から生活者が求めるライフスタイル

を把握可能
・自動車への搭載　↓　エコな運転方法を運転者にナビゲートできる。メーカーにとっては、生活者の運転の仕方に関するデータを活用し、より使い勝手の良い自動車を開発できる
・工場や農場の作業環境のモニタリング　↓　脱炭素に近づくためのデータを取得可能

ＩｏＴで収集した様々なデータは、次の三つのプロセスによって利活用されます。

第１段階　センサーを使ってデータを収集し、状況を把握する
第２段階　収集したデータを使って、モノの動作を制御する
第３段階　データ分析などに人工知能を使って、様々な制御などを実施する

例えば、車に搭載したＩｏＴ端末で収集されたデータによって、エコ運転の推進、エンジンやＥＶ（電気自動車）の性能アップが可能です。ＥＶに関して

は走行距離の延長なども実現されます。結果として、競合に対する圧倒的アドバンテージを得られるでしょう。まさにデータサイエンスが求められる所以（ゆえん）です。第4次産業革命ではデータを使いこなすことがいかに重要か、よくわかる事象と言えます。

ビッグデータとオープンデータ

データは爆発的に増加しているだけでなく、多様化しています。その種類は、

・分析対象となるデータ
・すぐに使えるデータ

・コード化（関連性のあるデータを同じ言葉で括ること）など、使うために工夫が必要なデータ

など様々です。これらのデータは、その目的によってビッグデータとオープンデータに分けられます。

ビッグデータとは、人から発信されるデータ（インターネット上のあらゆるコンテンツ）、モノから発信されるデータ（社会インフラや企業活動に関連するデータ）など、ありとあらゆる大量のデータです（図6）。これらの大量で有益な情報を無駄にすることなく、新しいビジネスに効

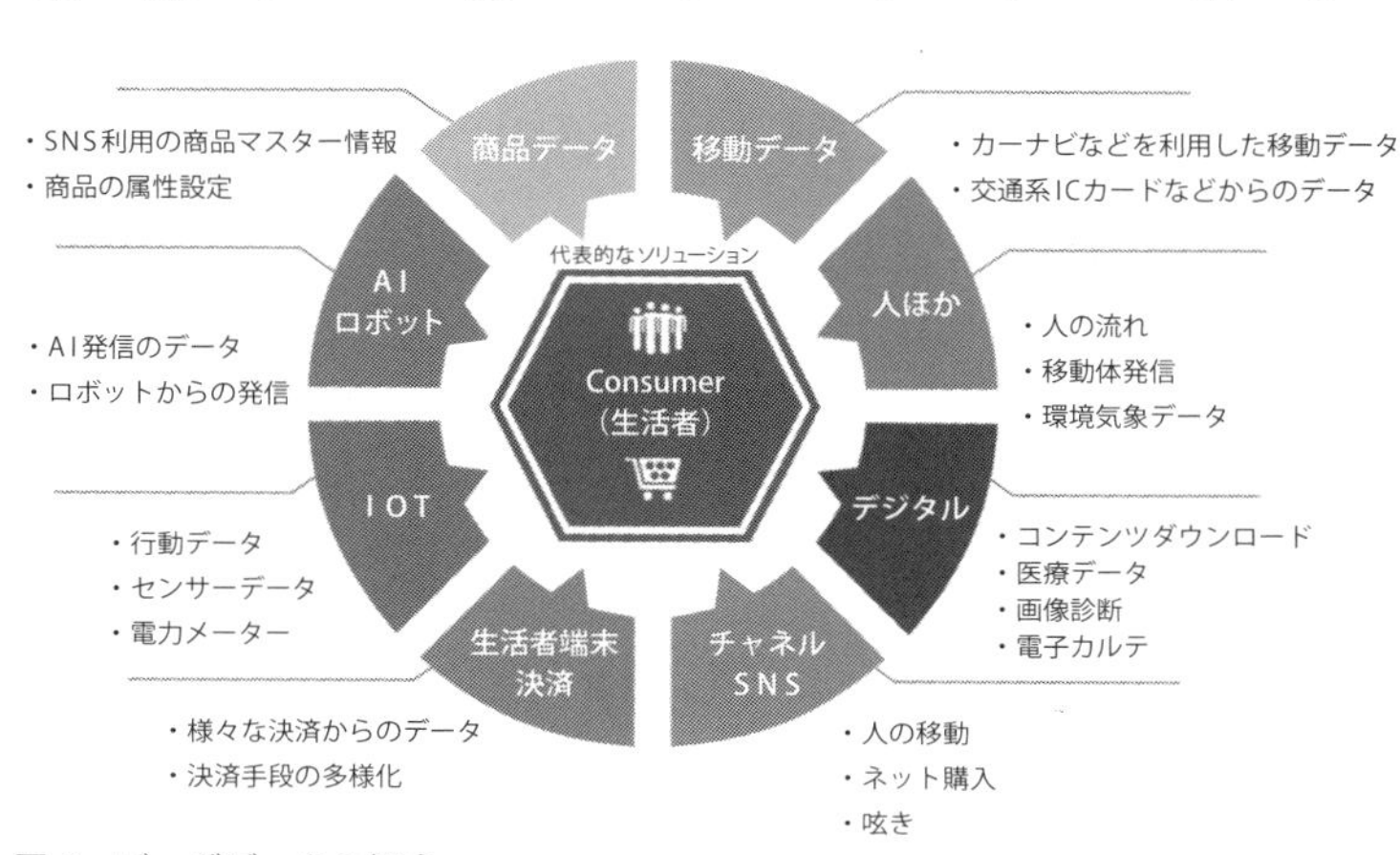

図6　ビッグデータの概念

率良く活かしたり、社会へフィードバックすることが期待されています。

講　師　ビッグデータからは様々なデータが見えてきますね。

浜田さん　いろんな媒体から多岐にわたるデータが発せられている状況は、ビッグデータという言葉の通りです。

高木さん　それぞれの媒体名から、その媒体の役割や、そこにはこんなデータが集まっているのではないかなどと思いをめぐらす、想像力も必要ですね。

渡辺さん　例えばスマートフォンからは今、どのような種類のデータが発生しているのか。今後はどのようなデータが発生してくるのか。楽しみです。

村上さん　ビッグデータは、まさに社会と言えます。企業にとっては社外と言ったほうがわかりやすいかもしれませんが、私は社内にもビッグデータはあると思っています。これまでの業務やシステムでは発生しなかった、あるいはデータとして取り扱っていなかった項目もあるはずだから。その意味では、社外と社内に線を引くのではなく、シームレスに組み合わせていくことで、新しい価値へと融合されていくデータがあるかもしれないですね。

講師

みなさん、いいところに気づいています。村上さんの社内と社外のビッグデータに関する考え方はとても重要です。実際、社外にのみビッグデータが存在すると考えられがちですが、これは大いなる損失です。社内にも宝となり得る多くのデータが埋蔵されていたり、現時点ではデータになっていない項目も多くあったりするからです。他にもどのくらい項目が存在するか、また新たに出現してくるか、常に高いアンテナを立ててデータを収集していく必要があります。

もう一つ、オープンデータとは、国や地方公共団体などが保有するデータのうち、誰もが使えるように公開されているデータのことです。国民の誰もがインターネット等を通じて容易に利用できるように、いくつかのルールが設定されています。データの二次利用が可能であること、デジタルデータの形式であること、データを無償で利用できることです。国や自治体などのサイトで入手でき、見たいデータを閲覧し、自由に活用できるようになっています。「地域経済分析システム（RESAS）」などがあります。

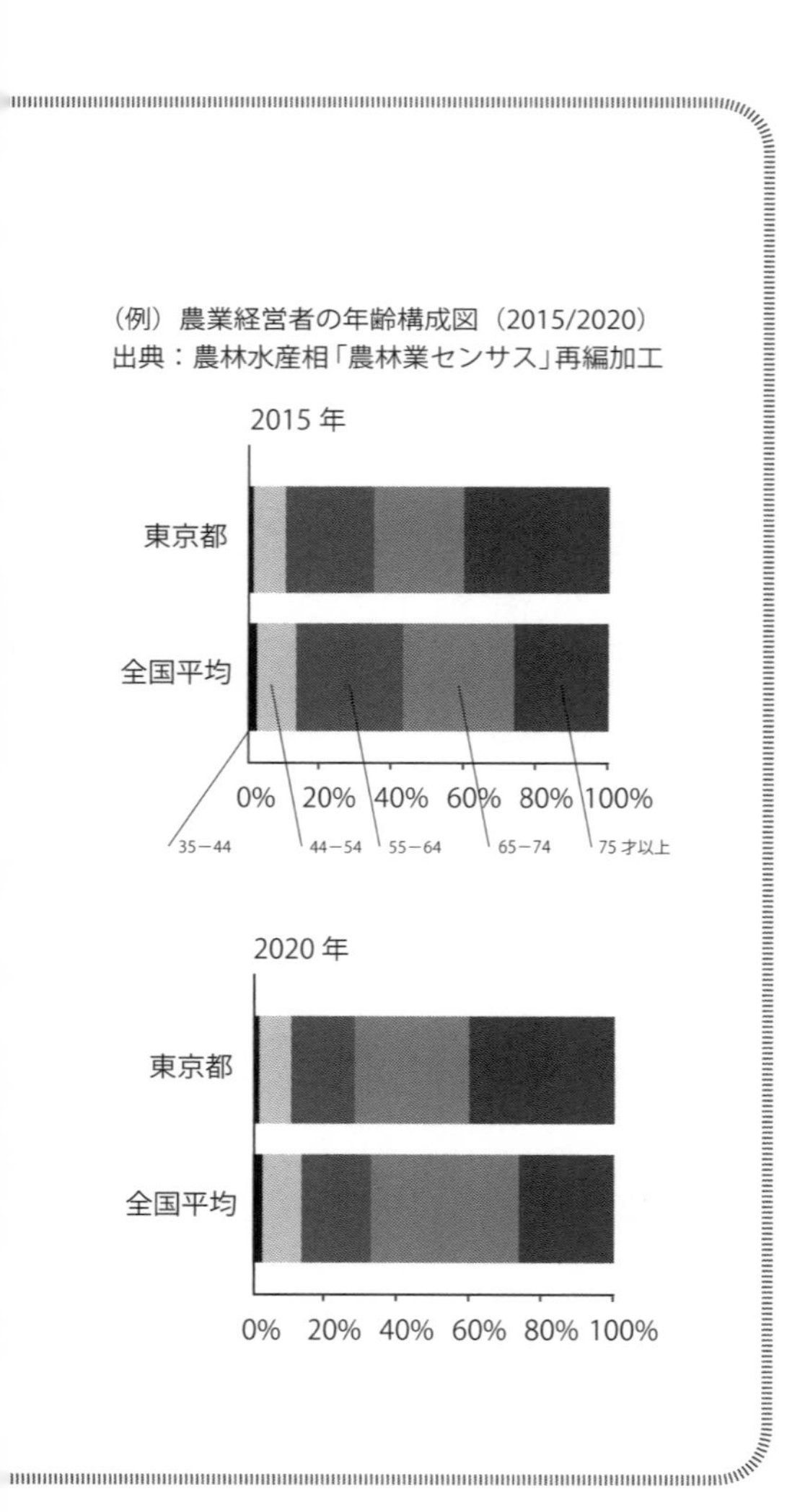

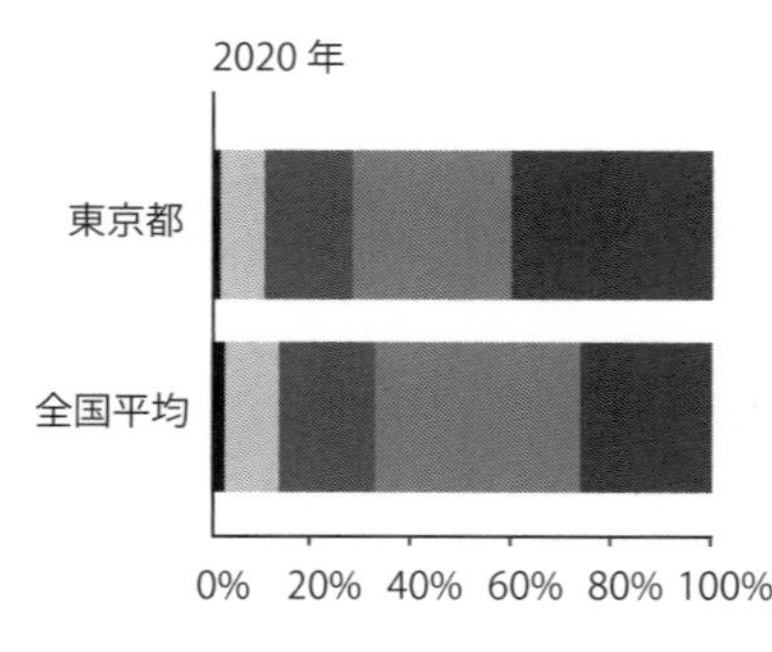

地域経済分析システム（RESAS）

地域経済分析システムは、経済産業省と内閣官房（まち・ひと・しごと創生本部事務局）が 2015 年に始めたサイトです。地域経済に関する多様なビッグデータを公開しています。①人口、②地域経済循環、③産業構造、④企業活動、⑤消費、⑥観光、⑦まちづくり、⑧医療・福祉、⑨地方財政の 9 つのマップで構成され、地域の現状をデータで把握することが可能です。このシステムは英語では Regional Economy（and）Society Analyzing System と言い、「RESAS（リーサス）」と略して呼ばれます。

［地域経済分析システムの概要］

○官民ビッグデータの提供システム
- 内閣府が管轄
- 産業構造や人口動態
- データを集約し、可視化できる

○インターネットで利用可能なデータ例
- 金融データ
- データ分析コンペサイト「Kaggle」など
- Google Map のリアルタイム分析

○取得方法
- ブラウザから直接データをコピー
- プログラムを用いる
- ウェブクローリング・スクレイピング
- AI で SNS の情報などを自動収集

データサイエンスとデータ分析は違うもの？

データをめぐる新たな動き

社内データ、ビッグデータ、オープンデータの中には近年、音声データやテキストデータなどもあります。以前はデータと言えばほぼ数値データでしたが、技術革新により音声やテキストなども、数値データと同様に分析対象にできるようになりました。

これはすごいことです。例えば、店舗で接客中の社員の言葉やお客様の言葉を、データとしてメーカーに渡すことができます。それにより、生活者の声を今まで以上に商品開発に活かすことが可能になります。これからの主たるビジネスモデルの一つになるＤ to Ｃ（ダイレクト・トゥー・コンシューマー＝メーカー直販）において、どうリアル店舗を位置づけるかなど、課題解決の大変な武器になると思います。

このように今まではなかったデータが、技術革新によりデータとして使える時代になってきています。この「なかった」には二つの意味があります。一つは文字通り「存在しなかった」、もう一つは「今まで必要がなかった」ということです。

例えば、アパレル関連で一般的に使われているデータには、商品に関するデータ（数量、販売単価、粗利など）、販売に関わるデータ（いつ、どこで、いくらで購入されたかなど）などがあります。ただ、このような定量データだけでは、お客様の実像が見えてきません。定性データも必要になります。例えば、次のようなデータです。

・来店時に立ち止まった商品、最初に触れた商品は何か。なぜ触れたのか。その結果、購入した商品は何か。それは触れた商品と関係（属性）があるのか
・購入した商品の組み合わせ、その購入をリードした商品の属性は何か
・接客では何がキーワードだったのか
・購買された商品が持つ特徴は何か。商品に対するお客様の反応は？
・接客に対するお客様の反応は？

これらの情報収集は、以前は現場の人頼みでしたが、今やツールを使えばデータとして取得可能です。販売のプロの仕事ぶりを評価することになりますが、さらに接客の質を向上させる可能性もあります。だからこそ、データを取得する工夫が必要であり、その工夫を考える際には、取得したデータがどのようなことに使えそうか、仮説を立てる必要があります。

データ分析とデータサイエンティスト

取得したデータは、分析をすることで情報になります。そのことは理解できたと思いますが、そもそも「データ分析」とは何なのでしょうか。学生たちに問うと、ちょっと困っていました。

高木さん　普通に使っている言葉って、データもそうですが、説明が難しいですね。

講　師　では、定義を引用します。データサイエンスの専門企業、アルベルト社のものです。「データ分析とは何らかの目的を持って表現された文字や符号、数値などを収集し、分類、整理、成型、取捨選択した上で解釈して、価値のある意味を見出すこと」と定義されています。

もう少し具体的に言うと、主に現状を分析対象としてデータから選び出した情報をもとに、ビジネスにおいては購買行動やウェブサイト利用者の行動の改善策などを導き出すことです。データ分析の事例を挙げて説明します。

●事例　商品の買い方

店舗で商品Aを買う人と商品Bを買う人のデータを集め、分析した結果、AとBの両方を同時に購入する人が一定の割合いるという事実が判明したとします。片方しか買っていない人にも両方買ってもらえれば売り上げが伸びるため、AとBを近くの売り場で販売する、あるいは片方を買った人にセット購入の割引を提供する、といったマーケティング施策を採ることが考えられます。これは、小売業のマーケティングでは定番と言える分析方法です。単に購入されたという事実にとどまらず、データ分析によって現状を分析し、状況改善に役立てることが可能です。

●事例　観劇チケットの売れ方

観劇チケットは一人席が多く余るという傾向があります。会場のあちこちに点在して売れ残った一人席は、グループ客には対応できません。そのため、「チケットが欲しい人がまだいるにもかかわらず、複数人が座れる席がない」という、需要と供給の不一致が発生します。そこで着目したのが、チケットの売れ方に関するビッグデータの分析でした。座席を選ぶ、空席を提供するという二つの行動をデータサイエンスの手法で解析し、その結果をもとにシステムを改善することで、より効率的に、より多くの人が適したチケットを購入できるようにしたのです。分析の目的が単なる「チケットが売れる」ではなく、「完売に近づける買い方、座席の選び方」になりました。つまり、購買データだけでなく、行動パターンの情報や好みの情報などシンプルな数値では表しにくい複雑なデータも分析の対象としたのです。これがデータサイエンスの特徴です。

高木さん あれ？ そうするとですよ、データ分析＝データサイエンスなのですか。

講　師 いいところに着目しましたね。ただ、データ分析とデータサイエンスはイコールではありません。データサイエンスの中にデータ分析が含まれている、という関係です。

データサイエンスとデータ分析の違いは、データとビジネスを結び付けるか否かの違いです。データサイエンスの役割は、データとビジネスの応用領域を結び付けることです。前述したＩｏＴと自動車の関係を思い出してください。車から得たデータで分析されるのは、あくまで運転手はどのように運転しているかですが、実際には車の開発に使われたりしています。そのデータ活用はＳ

DGsや、環境課題の解決にまで及んでいくかもしれません。応用領域とは、そのようなものだと理解してください。

データサイエンスは、増加する一方のデータとビジネスの「架け橋」と言えます。システムはビジネスの課題解決への架け橋です。このように架け橋を作ることによって課題解決を進めていくのがデータサイエンスです。以前のデータサイエンティストはデータを分析することが主な役割でしたが、これからはデータサイエンスによって課題解決への架け橋を作ることが重要な役割になります。

ファッションとデータサイエンス

データサイエンスは、データ分析の目的に応じて大量のデータから相応しいデータを抽出し、組み合わせて分析することによって、有益な知見を導き出すことを指します。ファッション業界の取り組み事例を挙げて説明しましょう。

●事例　エアークローゼット

近年、ファッションテックという言葉がアパレル業界に浸透しました。ファッションとテクノロジー（テック）を組み合わせた造語です。企業の活性化を目指すデータサイエンスの実現にもテクノロジー（ＩＴ）は必須です。データサイエンスの目的である「過去から未来を知る」ためには、いかにＩＴを活用するかが重要になります。

この視点でファッションテックの代表格とされるエアークローゼット社の事例を見てみましょう。

エアークローゼット社のホームページには「ＮＯ．１ファッションサブスク」とあり、そのミッションは「発想とＩＴで人々の日常に新しいワクワクを創造する」と記されています。まさにデータサイエンスの考え方です。同社は2020年6月5日に次の資料を発表しました。

「当社はファッションテック企業として蓄積してきたスタイリングのデータや、ファッションに対する感性や好みなどの定性的なデータをはじめ、複数項目に紐づく膨大なデータを解析することでファッション業界への貢献を目指しています。データ解析とＡＩ開発を主導する専門チームとして『データサイエンスチーム』を設立しました。パーソナルスタイリングサービスに紐づく洋服、そのコーディネートパターン、物流などの各項目から派生する膨大なデータを解析し、どのようにデータを活用するかを日々研究しています。当社にはデータ解析やＡＩ開発の専門知識はもちろん、プロジェクトの起案からＰＤＣＡを回すまでの全体設計と実装を主導する高いスキルと実績を重ね備えたデータサイエンティストが在籍しています」

企業としての考え方は、この文面でよくわかります。その上で、図7のデータ要素を見てください。アパレルのデータとしてよく出てくる販売データやお客様データ、お洋服データといった要素があります。服をコーディネートで貸し出すため、レンタルデータや配送データもあります。特徴的なのは、スタイリングデータやスタイリストデータです。提供したスタイリングや、それを提供するスキルを蓄積し、情報にしているのです。

このような社内のビッグデータを活用し、経営方針の確認や業務プロセスの改善・改革を進めていくことを想定

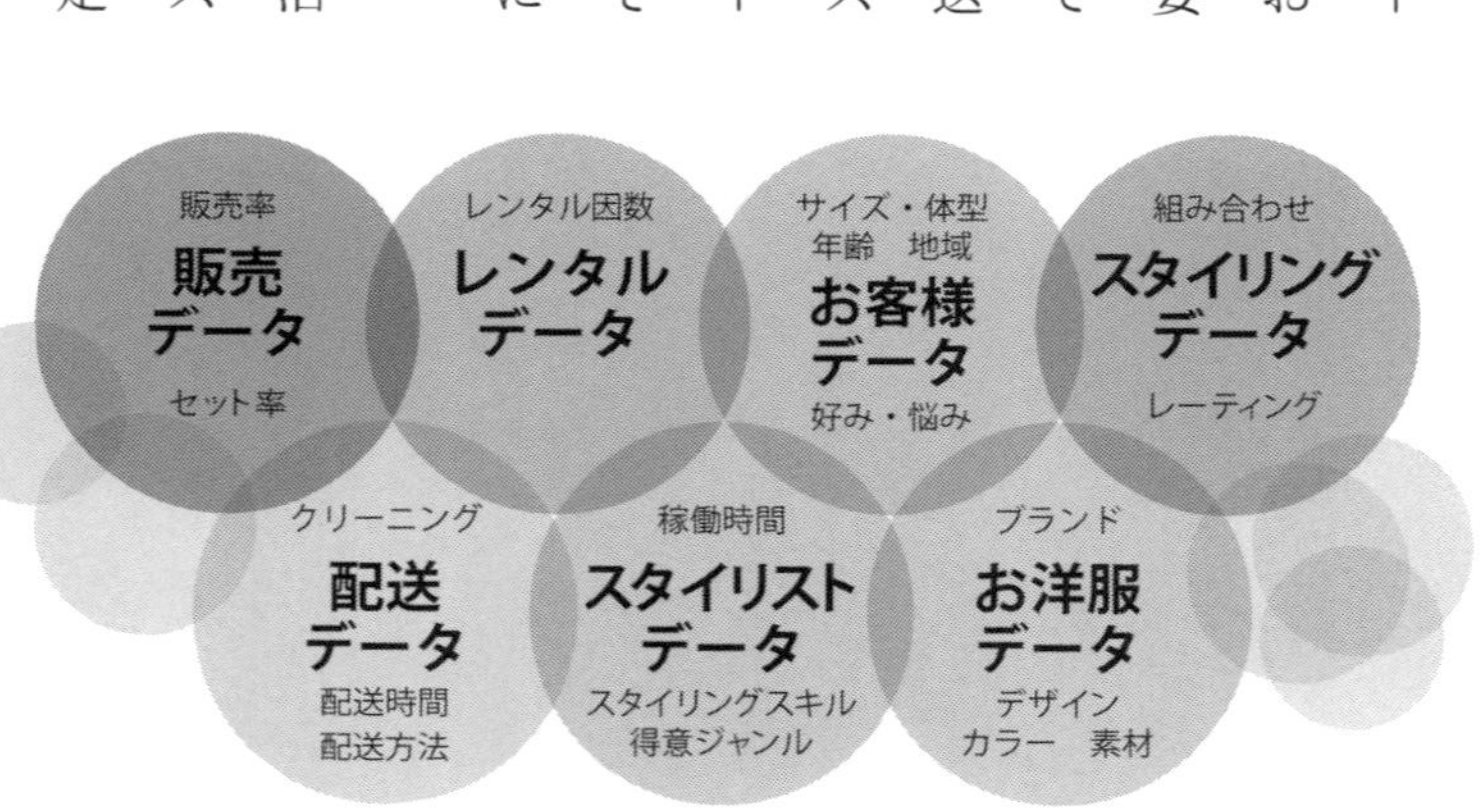

図7　エアークローゼット社のデータ要素

していると言えます。それによって、同社が提供するコンテンツはさらなる高度化へ向かっています。データサイエンスを中核としたＤＸのモデルケースです。

同社は２０２２年、４００万コーディネートに及ぶパーソナルスタイリングに関する独自データを活用し、史上初（同社調べ）のパーソナルレコメンドＡＩを自社開発しました（２０２２年6月8日発表）。これにより、顧客はコーディネートに悩む時間を削減し、ワクワクすることに充てるというショッピングを体験できます。

〈ここがポイント！〉

・企業としてデータサイエンスに取り組んでいる
・幅広くデータを活用している
・ＤＸを進めている

●事例　ZOZO（ゾゾ）

ゾゾ社は、ファッション通販サイト「ゾゾタウン」やファッションコーディネートアプリ「ウェア」などの各種サービスの企画・開発・運営や、「ゾゾスーツ」「ゾゾマット」「ゾゾグラス」などの計測テクノロジーの開発・活用を行っています。カスタマーサポートと物流の拠点「ゾゾベース」も運営しています。

ゾゾ社の発表（２０１８年12月14日）を見てみましょう。同社はデータを活用することで①大きな売り上げを作る、②業務の効率や精度を上げるという二つのミッションの実現へ向け、次の五つの事業を展開しています。

⑴ビジネスプランニングのサポート

施策や事業自体をデータに基づいて事前・事後に評価し、次のアクションを決めることを支援する。

⑵ビジネスロジックのモデリング

機械学習を活用し、業務の裏で使う予測モデルを作る。

(3)ビジネスインテリジェンス

ダッシュボードや分析ツールを作る。

(4)データエンジニアリング

データウェアハウスとデータマネジメントプラットフォームを中心としたデータ分析基盤、マーケティング基盤を設計・構築する。(2)で作ったモデルをシステム上に実装するのもこのチームの仕事。

(5)ハンズオンサポート

データを使って事業開発を支援する。経営方針の作成支援、業務支援のほか、新規事業開発の支援も行っている。

〈ここがポイント!〉

・この時期にすでに業務支援、業務改革、事業開発を支援している

・ビジネスサイドと濃密に接している
・データ活用を全社的な取り組みにしている
・データサイエンスとビジネスサイドのブリッジが存在する
・データを幅広く活用している

●事例　TSIホールディングス

繊研新聞（２０１８年9月25日付）によると、ＴＳＩホールディングスが企業価値を最大化するために挑んでいるのは「カワイイとキレイを科学的に解明」することです。女子の本質をつかみ、顧客が望む共通因子が詰まった服が店に増えれば、顧客に「私のブランド」という気持ちが増大し、ＬＴＶ（顧客生涯価値）が上がると考えています。

この取り組みの特徴は次の通りです。

・情緒の可視化と共有化によるマーケティング効果の最大化

・市場動向、消費者行動、顧客心理という3分野のデータを解析し、女性客の心理をつかみ、今行うべきマーケティングをブランドごとに最適化する仕組みの構築
・市場動向はビッグデータを収集・分析（消費者行動はSNSなどのワードが解析対象）
・顧客心理は買うときの気持ちをデータ化（消費者行動はSNSなどのワードが解析対象）

これらを可能にするために、同社では「データサイエンスの業務領域のイメージ」を示し、誰が何をするのかを明確にしています。
また、同社ではAIを活用し、物流管理部門によるEC出荷量の予測精度の飛躍的向上、倉庫のスタッフ配置の最適化も実現しています。

三つの事例に共通するのは、デジタルとオンラインの融合、データサイエン

スとビジネス部門の融合です。「融合」は成功へのキーワードの一つかもしれません。そのために重要なのは、データサイエンスの進捗状況を自社の責任者や担当者が社員に対して説明・報告することです。データサイエンス側とビジネス側のブリッジとなるのです。説明・報告を重ねることでデータサイエンスの責任者・担当者のブリッジ力が養われ、全社的なデータ活用を推進しやすい状態になっていきます。つまり、企業のブランディイングにも大きく影響すると言っても過言ではないでしょう。

このような分析を可能にするために、データサイエンティストには統計学やアルゴリズム、情報科学、数学、機械学習などのスキルが求められます。可能ならば業務についても知識があるとよりよいです。しかし現実問題として、そのようなスーパーマンを求めるのはかなり難しいことも事実です。この件については後述します。

サプライチェーンを変えるデータサイエンス

データサイエンスの活用状況

第4次産業革命で重要な役割を担うのがデータサイエンスです。革命と示されている通り、過去の産業革命は社会そのものを変えてきました。産業革命については学校で習ったと思いますが、少し復習しておきましょう。

●第1次産業革命

18世紀に英国で起こった最初の産業革命です。主に石炭エネルギーを原力として、蒸気機関による機械化された工場や鉄道などを生み出し、新たな産業を登場させました。それに伴い人々の生活も一変。時計に合わせた規則性のある生活や都市部での工場労働などが日常的になりました。そして世界の産業に繁栄を、人々の生活に大きな変化をもたらしました。

●第2次産業革命

19世紀後半頃に起こった産業革命です。とくにアメリカとドイツでは軽工業から重工業への転換が起こりました。それを可能にしたのが石油と電力です。これらの重化学工業の運営や石油エネルギーの利用は莫大な資本を必要としたため、集中・独占が進み、独占資本がカルテルやトラスト、コンツェルンなどの形態で成立しました。これらによる資源や市場の獲得競争が激しくなると、国家権力との結び付きを強め、原料や労働力の確保先、商品の市場、資本の投下先として植民地を拡張し、１８７０年代以降は帝国主義へと移行していきました。

第３次産業革命

20世紀後半に始まった、コンピュータを活用した産業革命です。ＩＴ企業が急成長を遂げ、各種産業へのＩＴ導入が進みました。わかりやすい事例として、ＡＴＭの普及があります。

第４次産業革命

現在進行中の産業革命です。ＩｏＴ(Internet of Things＝モノのインターネット）やＡＩ（人工知能）を用いることで、データサイエンスが一気に進展し、多様なビジネスモデルが創出され、仕事や教育、レジャーなどのあり方が大きく変わります。産業革命はその言葉の通り人々の生活をがらりと変えてきましたが、第４次産業革命も同様と想定されます。

第４次産業革命で取り組まれているのがＤＸです。ＤＸの最前線を取材しているノンフィクションライターの酒井真弓氏が、金融庁の目指すＤＸのゴールについて自著に書いていました。想像するにその鍵は、「レグテック」と「スプテック」です。

レグテックとは、規制（Regulation）と技術（Technology）を組み合わせた造語で、規制に対応するためのソリューション技術を表しています。一方、スプテックは監督（Supervisory）と技術（Technology）の造語で、こちらは規制する側の業務を効率化する技術です。金融業界では規制変更が頻繁に起こるため、レグテックが導入されました。ただ、規制はどの業界にも存在し、コンプライアンスに直結します。企業のＤＸ推進に際してレグテックの重要性は高まっていくと思われます。

業務の効率化と高速化	業務結果予測
AIを使ったデータ入力、AI-OCRなど テキストデータチェック（SNS、ビッグデータなど） 小売業の商品マスター　管理と顧客向け説明	渋滞予測 売上予測の精度向上 新規事業検討
無人化	**新規事業**
リアル店舗の無人化 ロボットの自走	飲食における利用 様々なレコメンデーション 化粧品の顔認証連携自販機

表２　多様な分野でDXの中心を担うデータサイエンス

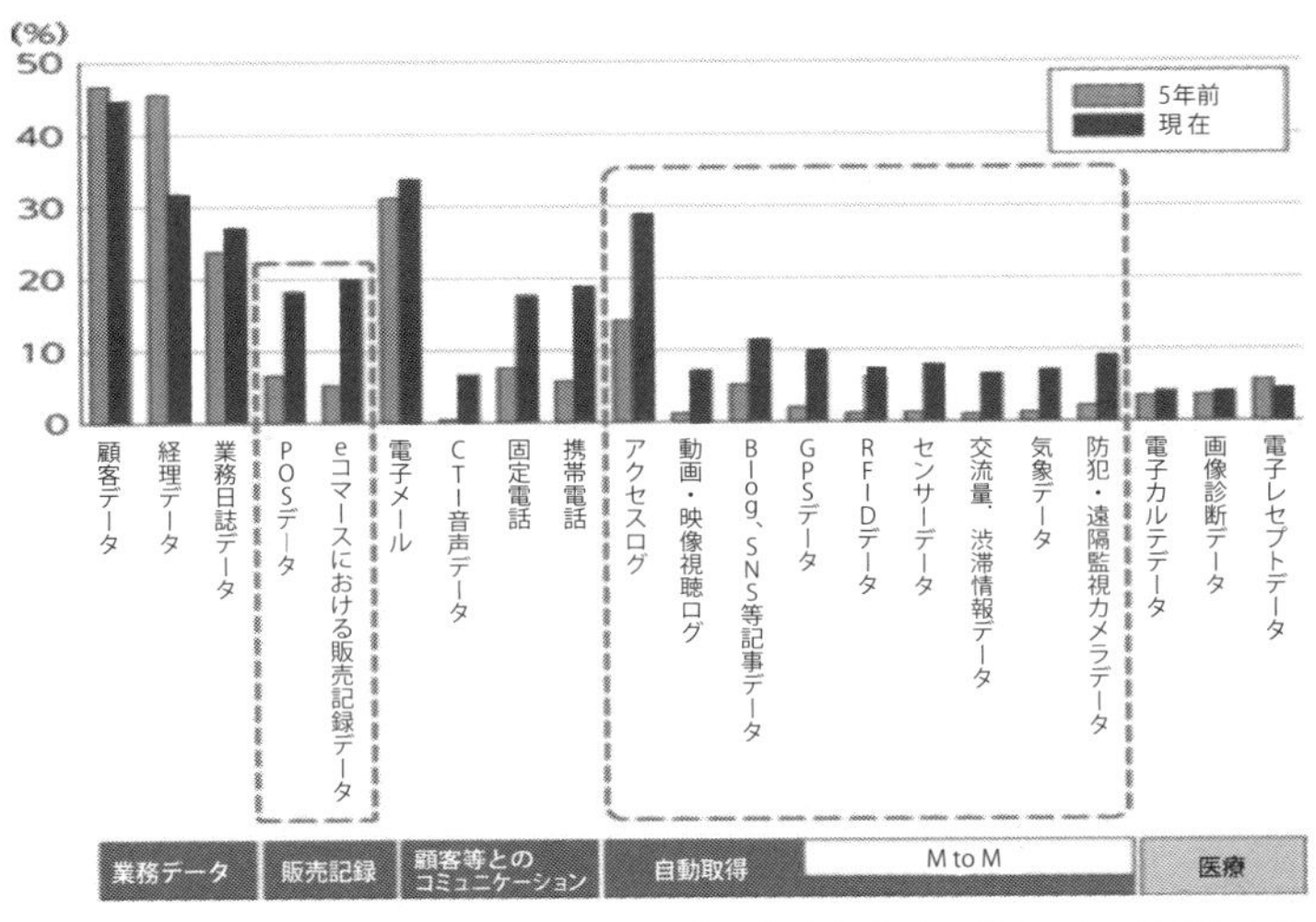

グラフ１　ビッグデータの活用状況　　出典：総務省「ビッグデータの流通量の推計及びビッグデータの活用状況に関する調査研究」（2015年）／再編加工

規制に対応しながら、データサイエンスは表2（前頁）に示したように様々な分野でDXの中心的役割を担っています。グラフ1（前頁）は、そのもとになっているビッグデータの活用状況です。実に多様なデータが使われていることがわかります。短期間で使用が増加している項目も多々存在します。確かに現在はこのようなデータが使われているのですが、未来を予測するデータサイエンティストに大切なのは、「これからはこういうことにも使えるのではないか」と考えていくことです。

高木さん　こういうデータからはこういう結果が出ると予見するのではなく、「このような結果が欲しい」ということに結び付くデータではないかと、積極的に考えていくことが大切に思えます。

渡辺さん　その一方で、データを「こういう情報にしたい」と思うことも重要ではないでしょうか。

浜田さん　私は業界や業態でデータを分けるのではなく、業界や業態の連鎖が

村上さん　大切だと思います。シームレスな連鎖によって大きな効果の出るデータもあるかもしれません。アンテナの張り方が難しいですけど。データサイエンスの進展によって、企業にはとても厳しい時代になったように感じます。データが勝敗を分けるというか、油断するとあっと言う間に置いていかれるような状況も想定できるように思います。

講　師　みなさんの考えに賛成です。重要なのは、なぜそのようなことにデータサイエンスが使えるのかを考えていくことです。データを使うプロセスはどのように用いたらいいと考えますか。

渡辺さん　私はまず過去のデータに当たります。過去から得られる意味を理解することが、「将来はこうなる」という予測につながっていくのだと思います。

浜田さん　「今まではこのように仕事をしてきた」という経験が表れたデータもありますよね。過去のデータではあるけれど、単なる数値データとは少し違う意味があるような感じがします。そうしたデータから課題を見つけ出したり、ここを変化させればより良いプロセスが作れそうだということがわかると思います。

高木さん データは発生した時点で過去なんじゃないかな。データを使うと考えた時点で過去から定義を探ることになる。一方、未来の仮設を起点にすると様々なプロセスが使えると思います。売り上げの予想なども「こんなことをプロセスに加えると効率的、あるいは可能性の範囲が広くなる」といったアイデアを試していけます。

村上さん データサイエンスによって、現場の人が「こうしたい」と考えていることの根拠を証明したりね。生活者（消費者）の心の変化を明示できたら、とも思います。「こんなことができたら」という生活者の思いを実現することにつながっていきますよね。

講　師 まさにその通りです。具体的に説明しましょう。

表3を見てください。家電製品（生活必需品）が故障し、すぐにでも新たな

製品が必要になった人の購買に関する心理の変化を示しています。①最初は購買への欲求が出てきます。その欲求が起こった理由は、とにかく早くその家電を使えるようにしたいということです。そのためには、②その家電は今、どのようなものが主流なのかなど、情報を得たくなります。いきなり店に行くと、販売担当者の言いなりになってしまうかもしれないという気持ち

ステップ	内　容	
ステップ①	購買欲求の発生 （課題発生）	家電製品が故障 早く使えるようにしたい
ステップ②	商品情報検索	希望する機能を搭載した 家電製品があるか 店頭に求める商品がない、 あるいは販売員から別の商品を 薦められた場合などの考えを整理
ステップ③	購買実行	購入を店舗にて検討し、 購入をします
ステップ④	商品の利用と評価	利用してみます 当初の購入動機に対して満足度は 高いか 場合によってはＳＮＳなどに投稿

表３　消費者の購買行動のステップ

が出てきます。ここでは、購入したい商品のイメージも出てきます。購入して使っている自分を想像するかもしれません。このあたりは、小売業がどのようなコンテンツを提示できるかを考えるときに重要な要素です。

ある程度の知識をつけた上で、③店に行き、希望する商品について販売員から機能やサイズなど具体的な説明を受け、検討し、購入します。後日、④商品が自宅に届き、いよいよ使ってみます。自分の選択は妥当であったか、確認するのです。その結果、満足を得られた場合はＳＮＳなどに高評価をアップしてくれるかもしれません。

このような一連の心理の変化を的確に把握できれば、生活者が共感・納得して購買に至るためのサポートをすることができます。最初は部分的な把握しかできないかもしれませんが、データを蓄積していくことでより的確に生活者の行動を捉えられるようになり、推測の精度が上がります。まさにデータサイエンスです。

サプライチェーンとデータサイエンス

時代変化に伴ってビジネスモデルは改変されたり、新たに作られたりします。サプライチェーンは、企業内や企業間における縦と横の連携が数値データによって運営されている典型的なビジネスモデルと言えます。

新型コロナウイルスの感染拡大を背景に、２０２０年の春にマスクが不足しました。当時の日本は海外各国に比べてわずかな感染者数でしたが、品切れが相次ぎました。日本でもマスクは生産されていましたが、少ししか生産されていなかったからです。そのような事態になって、国はサプライチェーンの見直しや新規構築が必要という説明をしました。

図８（次頁）はサプライチェーンの構造です。商品は左から右へ流れていきま

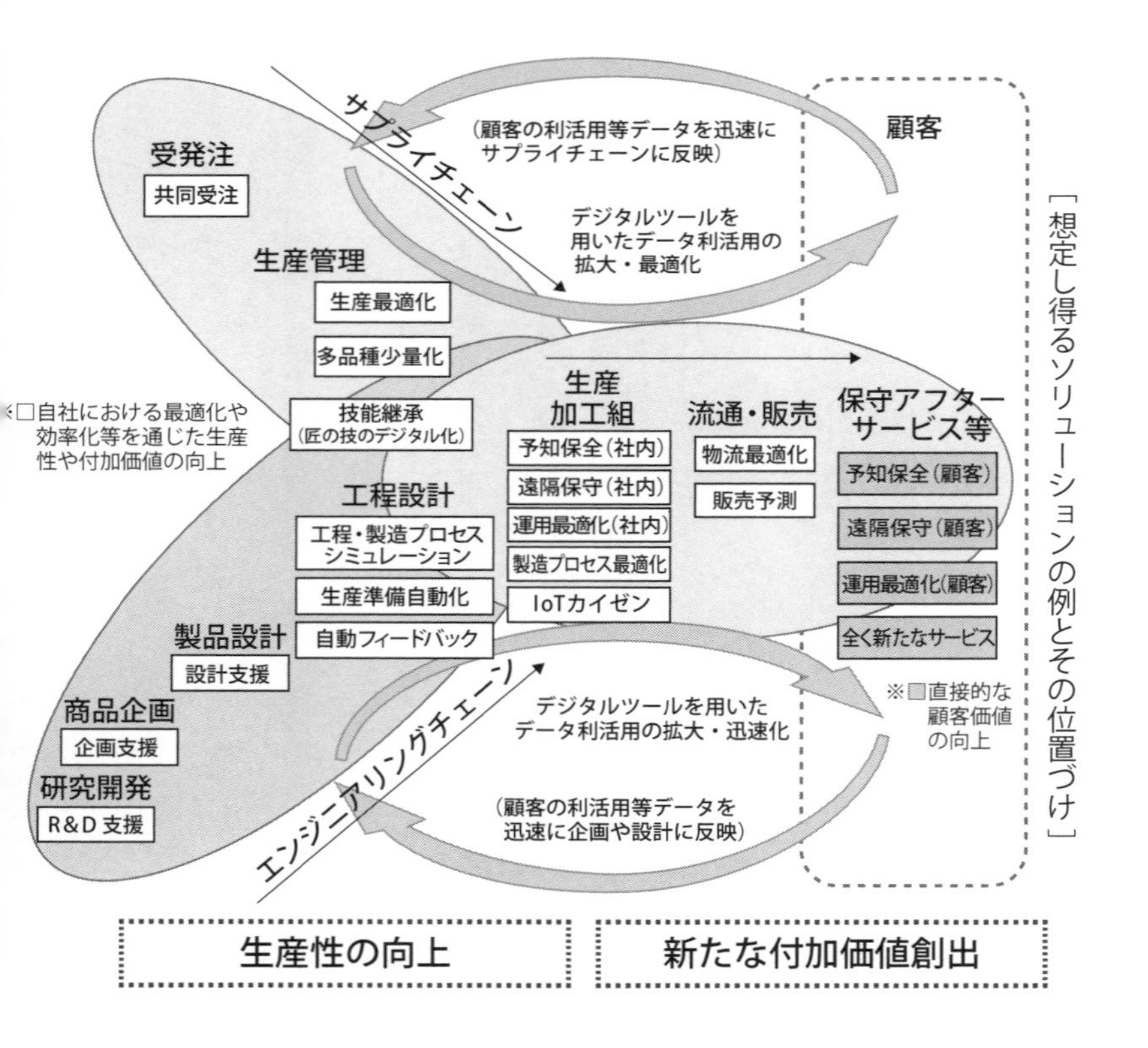

図８　サプライチェーンの構造　出典：経済産業省「2020 年版ものづくり白書」第１部・第１章・第３節「想定し得るソリューションの例とその位置づけ」より／再編加工

すが、商品開発は顧客起点でスタートします。

①顧客の需要予測

実際の需要ではなく、過去のデータを使った需要の予測です。

②小売業による需要予測　※卸売業が含まれることもあります。

ここでの需要予測は、次のような要素を踏まえて行われます。

・前年、前々年の同様な商品の動向

・ビッグデータに示された流行の兆しなど

・その他、消費者の行動からの算定

③流通

②を鑑(かんが)みたルートの確保が必要。

④製造業による需要予測と生産工程の設定

②の予測に基づいて製造業の視点で需要予測を行います（②の予測をそのまま使用する場合もある）。いずれかの需要予測をもとに生産工程を設定します。

⑤④の生産工程で作られた商品を小売業が調達します。

商品の供給は、①の需要予測データ、あるいは②の需要予測データが基軸となるモデルで行われています。③～⑤の各企業内でも予測（需要予測）や価格設定などが行われています。つまり、出発点となる①の需要予測が曖昧であったり、精緻でなかったりすると、⑤の需要予測はかなりゆるくなるのです。①のデータサイエンスが精緻でなければサプライチェーンが崩壊してしまう可能性もあります。

マスクは右記のような流れで生産から販売までの計画が立てられ、供給されていました。そこにコロナの感染拡大が起こったのです。生産拠点が多かった中国では、早い段階でコロナ感染が拡大しました。中国の工場は生産を停止し、日本では国内の在庫分しか販売できなくなったのです。中国の感染が収まりそうになったところで、今度は東南アジアの素材生産地域で感染者数が増加し、原材料を調達できなくなりました。材料がないので、工場は生産ができなくなります。日本国内にも生産拠点はありましたが、材料が入ってこなければ稼働できません。国内外ともに生産ができず、在庫も急激に減ったことが、マスク不足の原因です。そのような事態を回避できるよう、国が提唱したのが既存の生産国以外にも拠点を持つサプライチェーンの構築でした。

サプライチェーンは本来は効率的なビジネスモデルなので、コロナ禍のような突発的な事象がなく、適切に機能すれば成果も十分に得られます。データサイエンスがしっかりと実施されることが大前提なのです。

データを分析する側が考えるべきことは、行動経済学で扱っているような人間の感情という不合理な要因で発生するデータも含め、合理的に考えることです。どのようなことにデータサイエンスを活用できるかを考える人、データ分析を行う人の両者が最善の方法を模索し、企業の経営に活かせる情報を提供していく。これはとても難しいことなので、早期にデータサイエンスを導入し、本格化していくことが重要です。

Chapter 3

データサイエンスの人材

データサイエンスはコンピュータの進化と切り離せません。
しかし、データを活かせるか否かは「人」にかかっています。
人材育成こそ今、必要です。

データを使う意識が社内にありますか？

データ分析のロスを回避し、質を高める

普段からデータを見て仕事をしていますかと尋ねられたら、「何を今さら」と答える人が多いと思います。当然でしょうと。ただし、その「データを見て仕事をしている」とは、「結果を見る」という意味ではないでしょうか。例えば、

・本日の売上日割予算は達成したか
・週間の売上予算は達成したか
・販売成績で1番は誰なのか

といった数字の結果だけを見て仕事をしているであろうことは想像に難くありません。データをもとに1年後、3年後の自社の方向性を考えてみようと言われたら、どのようにしますか。

高木さん　まず過去1年間または2年間の事業の動向から傾向を見ます。

講　師　なるほど。でも、どのようにしてデータを見ていきますか。あるいは、どのようなデータを出してほしいと企業側に依頼しますか。

高木さん　そう言われると、どのような内容を見ていくかは手探りになってしまうかなあ。企業にはデータ取得・分析に関する何らかの指針があるのでしょうか。

講　師　指針がある企業も、ない企業もあるというのが正解だと思います。しかし、指針通りに見ていけば全てがわかるわけでもないということを、みなさんは経験していますね。

浜田さん　コロナ禍のような全く想定していなかったことが起こると、事業計画があっという間にないも同然になり、次年度の計画も何ら精度を高めることができなかった、という事例がありました。計画という指針が機能しなかったということでしょうか。

渡辺さん　確かに、コロナ禍ではＩＲ等の修正や未発表も多かったですね。世の中もそれを受け入れざるを得なかったように思います。

高木さん　そう考えると、過去の指針はあくまでも目安に過ぎないのかも……。

そうなのです。むしろ、過去の指針があるために余計な作業が発生することもあり得ます。そうなると分析にも多くの時間を費やすことになります。どのようなことで時間を使ってしまうのか考えてみましょう。第1章の図4（28〜

29頁）が役に立つので参照してください。

データサイエンスを実行する際には次のような準備をします。

・どのような情報が欲しいかわからない　↓　プロジェクトを作るなどして仮説を設定していく
・その情報は、どのようなデータをもとにして作るべきかを考える
・右記をまとめて、データサイエンティストに依頼をする

という事前作業があります。しかし、データサイエンティストたちは、今までに使ったことがないデータが含まれていると、その整理に多くの時間を費やすことになります。

そういう話をすると、そんな面倒なことをしなければならないなら、えいやっ！　と勘に頼るか、これまでも使ってきた情報をデータサイエンティストに提供したほうがいいのではという考えが出てきて、声の大きい人の意見が通ることになりがちです。結果として、データを情報にして活用し、予測の精度

を上げていくという文化が生まれてこないのです。その昔、ＫＤＤという言葉がありました。企業名ではありません。勘（Ｋ）と度胸（Ｄ）と出たとこ勝負（Ｄ）の略です。ＫＤＤが企業体質化すると、「例年通りで行きましょう」といったやり方が継承されていくことになります。

渡辺さん では、どうしたらいいのでしょう。データサイエンスは現場の社員さん、つまりビジネスサイドの人間だけでも難しい気がします。システム的なことに弱いですから。一方、データサイエンティスト側も業務のことがよくわかっているメンバーだけではありません。

講　師 確かにビジネスサイドだけ、データサイエンスグループだけでは難しいのかもしれないですね。データサイエンスを企業文化として根づかせづらい。そうすると、どうしたらいいのかな？

浜田さん データサイエンスグループとビジネスグループの架け橋、やはりブリッジがあるといい。というよりは、必須のように思います。

では、それらのグループにはどんな資質を備えたメンバーが的確なのか。

・ビジネスに精通している
・データ分析に精通している
・ビジネスにもデータ分析にも精通している

といった資質が挙げられます。

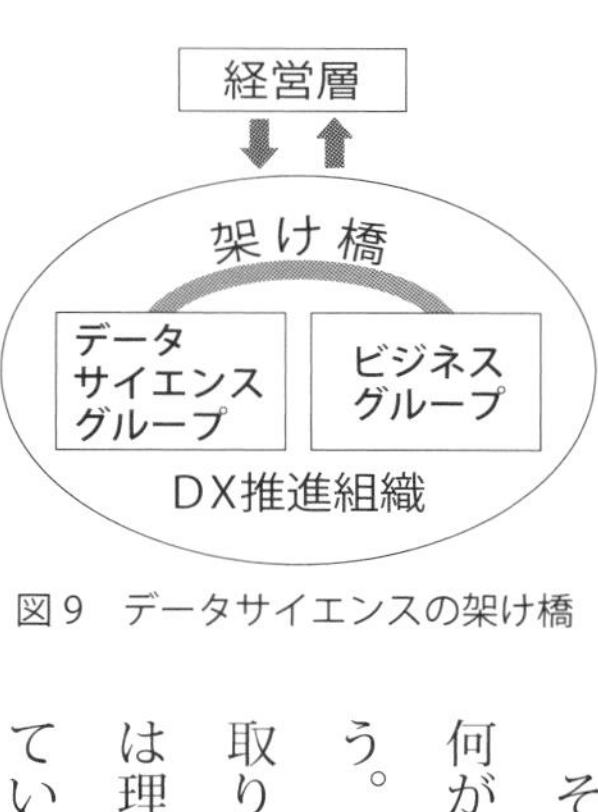

図9　データサイエンスの架け橋

そこで改めて、データサイエンスを実行する上で何が時間を費やす原因になるのかを考えてみましょう。そもそも分野の異なる人たちが共に同じことに取り組むときには、何をどうやっていくのか、まずは理解することに時間がかかります。時間を短縮していくには何のために取り組むのか、方向性を共有することです。そのうえで双方の仕事を理解している人がメンバー間をつなぐ役を担い、まさにブリッジを作って活動していきます(図9・前頁)。併行してデータ取得に関する指針作りを行っていけば、時間の効率化に直結するでしょう。その結果として、企業にデータサイエンスという文化が生まれ、育まれていくことになります。

データサイエンティストの育成と社内の意識醸成

グループを作るといっても、まだ気になることがあります。何だと思いますか。

高木さん　その会社にブリッジを作る人がいるのか、ということでは?

渡辺さん　それまでKDDの慣習の中で業務を遂行してきて、データを使って出た結果に納得できるものなのか、という疑問もありますね。

浜田さん　二人の意見は重大な課題になるのではないでしょうか。

講　師　いいところを突いていますよ。

図10（117頁）は経済産業省による「IT人材の需給に関する推計結果」です。データに強い人の不足を、まさに国を挙げて何とかしようとしています。データが爆発的に増加し、社会の変化のスピードが増している今、もはや待ったなしの状況だからです。すでに他国は先んじており、経済の国際競争を考えると、これ以上離されるわけにはいきません。

対策としては、社内の中堅社員などをピックアップして、社長や経営陣直轄の組織を編成し、少しずつデータサイエンスを進めていきます。一方、データ分析に関してはシステム担当者などを抜擢し、外部の専門家の力を借りながらでも進めていくのです。その基盤を整えておくことで、後にデータサイエンスを学んだ人が入社してくれれば新しい風が吹くでしょう。そしてデータサイエンスの知見を養った社員との関係を育みながら、ブリッジ作りに進んでいきます。この取り組みが、データサイエンスの延長線上にあるＤＸの推進に結び付いていくのです。

浜田さん　ＤＸという言葉で総称されている業務改革は、多くの経営者が何としても実現しないといけないと言っています。しかし、なかなか進んでいないのは、やはりデータに強い人の数が不足していることが影響しているのかもしれませんね。

講　師　ＤＸを進めていくことが重要とはわかっている、けれど人が足りないという現状を踏まえ、国は各世代における人材の育成に取り組み始めたところです。しかし図10にあるように、ＩＴ人材は需要が増える一方で、不足数も増えていくことが想定されています。２０１６年時点

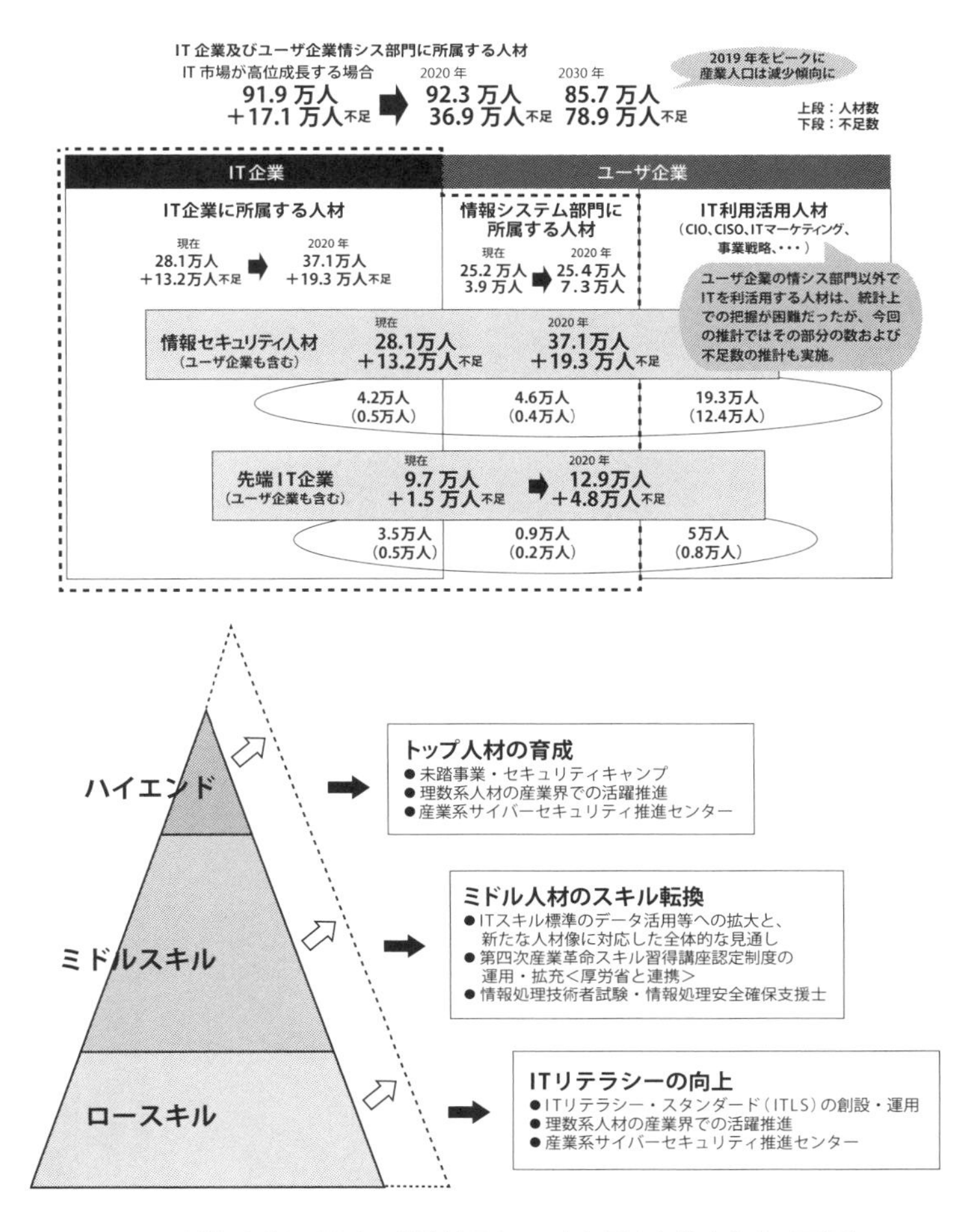

図 10　IT人材の需給に関する推計結果（2016 年）経済産業省作成／再編加工

ですでに約17万人足りていません。学生を教育するだけでは間に合わないのです。

そもそも、なぜ日本ではデータに強い人材が不足し、育っていないのでしょうか。

- 新規採用は国内では数的には困難。欧米ではデータサイエンス人材の養成課程が充実しているが、日本では後れている。２０１７年に滋賀大学が日本初のデータサイエンス学部を設立し、２０１８年には横浜市立大学や広島大学も新設したが、まだ少ないのが現状。企業では、２０２２年に数社が相次いでデータサイエンティストを育成することを発表した。しかし、人材が育つまでには数年かかる
- ＩＴコンサルティング会社などへの外部委託が多く、データサイエンスに関する知見が社内資産として蓄積されにくい
- ＡＩを活用した分析プロセスの自律化が後れている

など厳しい状況にもあります。

こうした深刻な人材不足の解消へ向け、政府は２０１８年6月15日に「統合イノベーション戦略」を閣議決定しました。２０２５年までに年間で数万人の先端ＩＴ人材を育成・採用できる体制を確立することが目標とされています。

企業で業務を遂行している社員にもデータサイエンスの発想を持ってもらえるよう、データサイエンティストとのコミュニケーション機会を増やし、そこで得た情報を社内に説明できるようにするといった取り組みも必要です。業務とデータとのインターフェイスが重要なのです。

内閣府が進めているＳｏｃｉｅｔｙ５.０を作っていくことがとても大切であるという意味がわかると思います（図３・22〜23頁）。つまり、ある年代やある層を教育するだけでは不十分なのです。日本でいまだデータサイエンスが「未達」なのは人材不足が大きな要因ですが、社内における意識醸成が必要であることも理解した上で現状から脱出していかなければいけません。

大切なのは、その会社で働く「経験価値」を高めること

データマイニング×コンピュータサイエンス

第1章で、ＤＸはプロデューサー（ＤＸ推進責任者）、ＤＸマネジャー（ＤＸ現場責任者）、サービス担当（企画）、システム技術担当（システム専門）によって構築・運用されると述べました。データサイエンスを担う人材にはどんな能

力が求められるのでしょうか。

データサイエンスを因数分解してみましょう。データサイエンス（Data Science）という言葉は、次の2語を合わせた造語です。

・データマイニング（Data Mining）……数値化されたデータから新しい知識を発見する

・コンピュータサイエンス（Computer Science）……コンピュータを活用して情報の動きを表現する

言葉の成り立ちが示すように、データサイエンスにはデータマイニングとコンピュータサイエンスの二つの領域に精通した人材が求められます。つまり、必要とされる能力は、

①ビジネス力……ビジネスの課題を抽出・解決する力

②データサイエンス力……統計学の知識を持ち、最新の分析手法やＡＩの論理展開を考案する力

③データエンジニアリング力……データを分析するための仕組み（システム）
　を実装する力

ということになります。

　では、実際にデータサイエンスに携わるときには、どのような知識が必要になるのでしょうか。すでに述べましたが、データサイエンスで使う知識は様々で、それぞれが複雑に関係しています。データサイエンスは数学や統計、ＡＩが関係する分野なので、それらの専門的な知識があったほうがいいことは間違いありません。ただ、全てに精通していないと駄目かというと、そうでもありません。データサイエンスの役割は様々な業務や組織とＤＸのブリッジになることです。数学、統計学、ＡＩに関しては専門家と協働して、解を見出していったりします。ですから、知っていないといけないというよりも、これだけは必要という知識を押さえておけば、まず大丈夫です。これは無理とか、関係ないとか、自分でシャッターを下ろすのではなく、まずは飛び込んでみることが大切です。

最低限必要なのは、自分が担当する業務の基本的な流れを理解しておくことです。全てをわかっている必要はありません。その上で、各業務のプロとのコミュニケーションを育みましょう。確かなパイプを作ることで、業務に関する知見の問題はクリアできるでしょう。現場に張り付いて、様々な経験をすることが大切です。データサイエンスのシステムやデータ分析などの専門的なスキル以外は、アナログでかまいません。専門力を要することは、各分野のデータサイエンティストのネットワークを作っておくことです。もちろん、一人のデータサイエンティストが業務に関する知見を全て身につけ、専門力を発揮できたほうがよいのですが、そのようなスーパーマンにはなかなかなれません。

企業内の各業務のプロ、多様な分野のデータサイエンティストなど様々な知見が出会うことによって化学反応が起こります。この化学反応で得た新たな知見を前に進むためのパワーにするのです。まさに多様な知見のコラボレーションであり、協創と言えます。

渡辺さん データサイエンスは自分だけでする仕事ではないのですね。少し気が楽になりました。

浜田さん データサイエンスに取り組む部署は企業の縮図みたいに思えます。ということは、部署と全社を相似形の関係で捉えればよいのでは。データサイエンスを実現でき始めた部署がたどったプロセスを、関連する部署に落とし込み、全社に広げていくという方法です。これまでの企業ではデータを使った業務改革は別世界の話で、とくに人事などは後回しになりがちでした。具体的な組織やオペレーションのあり方はさらにその後、改めて考えていたのです。効率が悪いですし、熱も冷めてしまいます。

講　師 そうですね。まさにみなさんが考えている通りだと思います。

だからこそ忘れてはならないのは、企業は何のためにデータサイエンスに取り組むのか、ということです。顧客満足はもちろん大切です。では、顧客満足を実現していく主体は誰か。各現場で働く人たちであり、従業員満足が顧客満足を生み出しています。その原動力となるのが「エンプロイーエクスペリエンス」です。「EX」と書かれたりします。従業員の経験とは、そこで働いている自分自身の満足度や、担当している業務のスキルアップ、組織における仕事の進め方やコミュニケーションのあり方、健康状態など様々あります。そうした会社で経験する要素を改善し、従業員の経験価値の向上を実現することがデータサイエンスの根本的な役割なのです。

Chapter 4

データサイエンスの業務

適切なデータサイエンスを実行していくには何が必要なのか。
データサイエンティストの具体的な業務、
求められるスキルを明らかにします。

データは情報化するから意味を持ちます

データサイエンスは数学なの？

データサイエンスの重要性は増しているけれど、日本ではまだまだ人材不足で、海外に後れをとっている現状について述べてきました。本章では、データサイエンスの重要な役割である「ブリッジ」という概念について改めて説明します。

Chapter 4

データサイエンスの業務

データサイエンスにおけるブリッジとは、分析を行うデータサイエンティスト（分析サイド）と自社の業務に関する知見が豊富な社員の方々（ビジネスサイド）をつなぐことです。データと知見をつなぐ、とも言えます。

データと言うと数学を思い浮かべる人が多いと思います。データ分析においても数学的な要素を使います。第２章でも触れたように、ビジネスサイドにいる人も少しデータサイエンスに触れる必要があります。ただし、数学嫌いの人がイメージするほど難しい数学は使いません。とくに分析の入り口では、データの全体像をつかむことが大切です。エクセルなどの比較的簡易な関数を使って、感覚的にデータの特徴を捉えていきます。

しかし、ビジネスサイドの方々はデータ分析のプロフェッショナルではないので、どのようなことを行っていくのか心配になると思います。その一方で、自分たちがデータサイエンスを扱う業務で活躍するためには何ができればいいのかを知りたいという気持ちもあるはずです。そうした方々も、難しい数学を使うことなく、データの特徴を捉えることは可能です。

小売業を事例として、データ分析について考えてみましょう。過去の売り上げの変化を見て、その要因を考えるというテーマがあったとします。まず何をすればよいでしょうか。

渡辺さん　一定期間の毎週の売り上げ、3カ月間分をグラフにしてみます。

高木さん　渡辺さんが言ったデータの中で、飛び抜けて良い週と悪い週を見つけます。そしてそれぞれの週のオープンデータを見ます。例えば天気、災害、イベントなどのデータです。

浜田さん　私も傾向を見て、売り上げの変化の要因を考えるために必要になりそうなデータ項目を考えます。自分なら購買するか、しないかを想像しながら、ですね。

講　師　そうですか。みなさんに思い出してほしいことがあります。

データサイエンスとは、どのような定義だったでしょうか。「過去から将来を見る」です。この事例の場合も、まずは過去のデータを見ます。そしてグラフなどで見やすくします。最初に大きく概略をつかむのです。そのグラフから、例えば見た目で売り上げが上がっている週、下がっている週をチェックします。凹凸の確認です。順調に業績が推移している週についてはホッとしていいですが、凹凸に関しては「なぜ？」を追及します。社内や外部のデータに当たって、凹凸があった頃に何か変化があったかを調べるのです。その際にどんな項目を探せばいいでしょうか。

学生たちはビッグデータやオープンデータを使おうとしていました。それらのデータから、「何を知りたいのか（目的）」という視点で必要な項目を考え、整理します。この作業はとても大切です。わかりやすく、的確なデータ分析につながるからです。

データサイエンスの実行に際しては、ビジネスサイドが分析に使えそうと考えたデータも提供されます。しかし単に保管されていただけで、そのままでは分析に使えないデータだったりすることがよくあります。どのように加工すれば分析できるデータになるのかを考え、情報として活かしていくこともデータサイエンティストの仕事です。例えば、売り上げの凹凸がある週、その頃に何があったかなどは、ビジネスサイドの人たちはわかっています。注目する時期を設定し、その時期にはどのようなデータがありそうかを想定して、ビジネスサイドと話し合うようにしましょう。

講　師　このあたりまでは日常のデータなどを使って判断がつきますね。

高木さん　営業日報などから、それほど難しくなく抽出できそうです。

渡辺さん　確かに、ここまでならば数学ではないですね。この時期に起こった出来事、社内外で聞いた話も整理しておくと、分析する内容を決めるときの参考になるかもしれません。

分散しているデータの統合

データは分散して保管されているので、どこに、どのようなデータがあるかを調べ、一カ所に集めることが最初の作業になります。一カ所に集めるとは、データを「統合」することを意味します。重要なのは、データを使えるものにして検討することです。これがデータサイエンスの成否を握っていると言っても過言ではありません。ある小売業の事例を説明します。

●事例　三つの事業で商品コードがバラバラ

前提条件は次の三つです。

・リアル店舗、ＥＣ、カタログ販売のビジネスモデル（事業）がある

・お客様がある商品をいくらで購入したかを算出する
・システム内には各事業におけるお客様の購買履歴が全てある

ただ、いざデータを使おうとすると、同じ商品なのにビジネスモデルによって商品コードが違うことがわかりました。この商品が全社でいくつ購入されたかを調べるには、次のような過程をたどります。

・リアル店舗、EC、カタログ販売でのこの商品の商品コードを調べる
・そのコードごとに購買履歴から購買数を算出する
・その結果を合算して、全社の購買数を算出する

とはいえ、事業ごとの商品コードを他の事業と照らし合わせて確認していくという、分析とは全く関係のない業務に時間を取られます。一つの商品に複数の商品コードが設定されているということは、それだけで非効率なプロセスが存在しているということなのです。このプロセスをなくすだけでも、分析の効率は上がり、業務の改善も可能になります。そこで結論として、DXによって、小売業で

とても重要な商品マスター（商品台帳）を作るプラットフォームとプロセスを見直すことにしました。最近では、全ての商品コードの一括変更は相当な負荷と時間がかかるので、統合した分析を可能とする範囲まで変更することができるようになってきています。

この事例に数学は出てきているでしょうか。数学よりも、業務内容を知っていることが大切です。業務を知ることからデータの意味を考え、データ間の関係を整理し、つなげて一つの塊（かたまり）にしていくのです。その上で、不足しているデータを新たに収集していきます。ここでも必要とされるのは数学ではない知識です。

簡単そうに思えるかもしれませんが、データの数が多く、項目も多岐にわたります。右記の事例の場合、売り上げや在庫、買い掛けのデータなどとの関係も見ます。結果として、取引先との連携の再構築が必要かもしれません。商品政策の変革です。まさにデータサイエンスを核としたＤＸと言えます。

データサイエンスに必要なシステムとスキル

データベースシステムの進歩

データを使うには、使えるデータへと整理する必要があります。数多あるデータをデータベース化して格納しなければなりません。このデータの格納にまつわる歴史について少し説明します。

江戸時代に大福帳というものがありました。いわゆる金銭出納帳ですが、勘定科目（項目）に分けず、取引があった順番にその内容を書き連ねていく明細単位のシステムです。この大福帳型データベースとして1980年代に出現したのが、データウェアハウスでした。すでに項目別のデータ格納が可能になっていましたが、技術が進歩してもやはり明細データがないと困ることがあったからです。データサイエンスには数学ではない項目も必要になることを意味しています。

最近ではデータ格納システムも、オンプレミスからクラウドへと移行しています。項目をつなぐ容易性を担保しながら、それまでの数値データだけでなく、音声やテキストなど多様なデータを格納できるようになりました。データの増加と多様化に順応してきています。

浜田さん　歴史を感じます。時間軸のデータや顧客の行動データなども増加し

ていますから、大福帳型も活用して対応していきたいですね。

講師 先人たちが遺してくれた財産です。大福帳型もしっかりと使ってい
きましょう。しっかりと使っていかないと、現在の環境下でデータ
サイエンスを進めていけないことも理解してもらえたのではないで
しょうか。

では、実際にデータベースを作る（データを整理する）ときには、どんなことがポイントになるでしょうか。商品・サービスのウェブ閲覧履歴に関するリサーチを例に、データベースの作成ポイントについて説明します。

①商品に関する取引先データ、ビッグデータ、オープンデータを収集する

②個々のデータを統一したフォーマットに整理する。既存コードを全て統一するよりも、必要な項目を共通化する。データが不足している場合は、新たに収集する。データは社内共通の単位や表記に修正（正規化）し、OCR処理

した手書き文字や写真なども同様に正規化する
③この修正作業は人力で行う場合と、ＡＩなどに任せる場合がある
④データごとに「どういう結果が出たらＯＫなのか」、仮説を立てる。これはビジネスサイドとのブリッジ役になるデータサイエンティストがリードする
⑤過去のデータに基づいて「欲しい情報」を設定する（第１章の「Garbage in / Garbage out」「Gold in/ Gold out」を思い出してください）

このようにデータを整理することが、データサイエンスの入り口であり、最も重要な作業の一つです。

ここまでは数学に関連するプロセスがほとんどありません。数学が苦手な人でも、基本的な業務を理解していればブリッジ役になれると考えます。もちろんデータサイエンスでは数学が出てこない場合のほうが少ないかもしれませんが、数学を理解することですので、毛嫌いしないでください。その意味はわかってもらえたと思います。

データサイエンティストの業務

データサイエンティストはデータサイエンスで必要な全てのことができるのかという質問を受けることがあります。では、「全て」とは何を意味しているのでしょうか。そこを明確にするために、データサイエンティストの主な業務を列挙します。

・統一性の「ある」「ない」に関わらず、ともに必要なデータ（大量のデータ）を収集し、より利用しやすいフォーマットへと変換する
・SAS（サス）、R（アール）、Python（パイソン）を含む幅広いプログラミング言語による作業

・統計情報の的確な理解
・分析手法に関する最新動向の把握（機械学習、ディープラーニング、テキストアナリティクスなど）
・ＩＴ部門および業務部門とのコミュニケーションとコラボレーション
・データに潜む秩序やパターンの発見と、ビジネスの最終利益に寄与する傾向の特定
・ビジネスの課題をデータ主導型の手法を用いて解決する

これらのうち、システム関連のことは、業務内容によってはシステムエンジニアが行う場合もあるかもしれません。とはいえ、膨大な業務です。

このような業務を担うデータサイエンティストは、なぜ誕生したのか、少し考えてみましょう。その要因は、なぜデータサイエンスが望まれているのかという問いへの答えと同じです。

要因①　今、私たちの目の前で「データ爆発」が起きている

２０００年代以降、ＳＮＳの普及、さらにセンサーネットワークやスマートフォンの浸透などを背景に、デジタルデータが爆発的に増加した。これに伴い、ビッグデータを用いるデータサイエンスが、多種多様な業種のビジネスなどに変革をもたらすと期待されている。

要因②　データ分析力・活用力が武器になる時代が到来した

データの分析と活用は、世界中の企業や社会に革新的なメリットをもたらす可能性がある。このメリットを享受するためには、テクノロジーによって格納されている大量のデータを解釈する必要があり、そのスキルを備えた人材が求められるようになった。

データは「21世紀の石油」とまで言われています。つまり、宝です。データ

サイエンティストの必要性がわかると思います。

では、データサイエンティストに求められるスキルとは具体的には何なのでしょうか。次の八つに集約されます。

①ビッグデータの知識
ビッグデータに関する知識は重要。ビッグデータをただ分析するのではなく、どのような場所から、どのようなデータを取得するのが妥当かも考える必要がある。その視点から、次のような知識・スキルが必要とされる。

②分析や統計の知識とスキル
お客様のデータを多角的に分析していくことが望まれる。
・情報処理や統計学などの専門知識が必要
・「提案＝ゴール」であることを求められる。統計分析の内容をビジネスに応用するスキルが必要

③コンサルティングスキル

・データの集計や分析の結果から導き出した、新たなビジネスモデルを受け入れてもらうスキル

・満足度の高いコンサルティング。業界全体の傾向なども理解した上で、関連部署が納得できる表現で提案を進める必要がある

④ビジネススキル

自分の得意分野であるITやデータベースだけにこだわらず、ロジカルシンキングができたり、ビジネス戦略にも目を向けられる。

⑤マネジメントスキル

プロジェクト全体を管理するマネジメント能力が必要（関係者との調整力も必要）。

⑥ITに関するスキル

ビッグデータを収集しているウェブサイトやセキュリティなどの知識が必要。

データの可視化や機械学習の実装には、ＲやＰｙｔｈｏｎなどのプログラミングスキルも必要。

⑦コミュニケーションスキル

話す力と聞く力の両方が必要。プロジェクトの成果を出すためにコミュニケーション力が必須。

⑧大量のデータを扱い、かつ複雑な課題を解決するスキル

データサイエンティストを本当に必要としている企業には、「膨大な量のデータを管理している」「難しい課題に日常的に直面している」という共通点がある。これら二つの課題に対応できるスキルが求められる。

⑧は、データサイエンスに取り組むに当たっては企業の体制を確認することが大切であることを示しています。

・その企業はデータに価値を認めているか……データサイエンティストを雇

用する必要があるかどうかの判断には、企業の文化が影響する。「アナリティクスをサポートする環境が整っているか」「経営幹部の賛同は得られているか」を確認すること。いずれも否の場合、データサイエンティストへの投資は資金の無駄遣いになるかもしれない

・変化を受け入れる準備ができているか……データサイエンティストが導き出した知見を積極的に業務に反映させる、組織としての体制が整っているかどうかを確認する

改めて、データサイエンスとは

データサイエンスとは「過去の蓄積から学び、未来を予測すること」と述べ

ました。大切なのは、今はこのようにデータサイエンスが使われているということを知るよりも、これからはこういうことにも使えるのではないか、と考えていくことです。

企業におけるデータサイエンスの取り組みに必要なことを、システムとビジネスの両面から考えてみましょう。

●システム関連

データサイエンスにおけるシステム関連の確認項目は次のようになります。

①データ項目の意味がわかるか
②外部データを探す手法がわかるか
③外部データで使えるものの判断基準を持っているか
④データベースを正規化（データの不整合などをなくす）できるか
⑤データの格納方法がわかっているか

システム面で考えると、データサイエンティストに可能なことであっても、自らがやるとプロジェクト全体としての効率が低下してしまうというケースもあります。例えば、④の「データベースの正規化」は、システムエンジニアが担当したほうが速く対応でき、効率も上がります。適材適所を考える必要があるのです。

村上さん システム関連のことは、それぞれのメンバーの得意分野を活かさないと、コスト、効率ともに良くないですよね。

高木さん どういうこと？

村上さん 例えば、データベースにデータを格納しようとします。これはシステムエンジニアの最低限の知識を持っていればできます。でも、短時間にできるかと考えると、専門分野の人が一番でしょう。一方、データベースの技術者にデータ分析を実施してもらうと、時間がかかってしまいます。

講　師　システムと言ってもそこには様々な業務があり、適材適所で行っていかなければ、効率は落ちます。一つの業務が遅延すると全体に響きます。

●ビジネス関連

ビジネス関連にも同様なことが言えそうです。その業務には、取引先関連、営業関連、管理関連などがあります。しかも、それぞれから派生する業務もあるでしょう。そのため「関連」という言葉を付けました。

これら全ての業務に通じている人は社内を探しても、まずいないか、いてもごく少数ではないでしょうか。そうした人たちの知見を継承する人材の育成も必須です。

システム関連の業務だけでもデータサイエンスティストだけでは難しく、網羅できない可能性があるのです。さらにビジネス関連では、ビジネスであるがゆえに重要なことがあります。何だと思いますか。

渡辺さん　「ビジネスであるがゆえ」というのが気になります。ノウハウですか。

講　師　ノウハウという言葉でもよいかもしれませんが、「知見」が必要になります。デジタルの話をしているにもかかわらず、アナログだなと思うかもしれません。でも、ビジネス関連のデータ分析では何度もプロセスを見直したり、閾値（いきち）を見直したりします。そうやって得た意味をデータ化していくことも重要です。結果、データサイエンティストが出したデータに対するビジネスサイドの納得度も高くなります。

データサイエンスは適材適所で遂行することが望ましく、データサイエンティストだけでは目的の達成は難しい、あるいは効率が悪いことが多い。様々な業務の達人の組み合わせ、そしてシステムとビジネスのブリッジがないとデータサイエンスは難しいことが、改めて認識できたと思います。このことを前提として、組織や人材登用のあり方を考えていく必要があります。

Chapter 5 統計とは何か

データの収集＝データサイエンスではありません。
データは「情報」にして初めてビジネスに活かすことができます。
そのさわりを体感してみませんか。

データは「存在する」から「使える」とは限りません

視点としての統計

私たちの周りには数限りないと言えるほどのデータがあります。データについて統計の視点で説明すると次のようになります。

データとは、何らかの目的のために取得された、まとまった数値や符号の集合体。

面白いと思いませんか。データは、そもそも単なる記号などという定義があります。そのデータが、統計という視点で見ると「まとまった」ものになるのです。

データは、

・データ数の確認
・平均
・傾向
・分類

など何らかの手を加えることによって、初めてその性質や意味、属性などを知ることができます。使えるデータか否かを考えることもできます。つまり、データは加工することで活用へとつなげることができるのです。それを可能にするのが統計という視点です。

統計の視点は、データサイエンスとビジネスサイドのブリッジ役にとって非常に重要です。とくに求めるデータの有無を確認するブリッジの初期段階では、データを何に活用するのかを伝えられることでコンフリクトを回避することができます。

例えば「こういうデータはありますか」「ありますよ」「こういうことに使えると思うのですが」「それなら使えますね」と効率良く次のステップに進んでいくことができます。

逆に、データを何に活用するのかが明確に伝えられないと、

「データ、ありますよね」

「何のですか」

「売り上げのデータです」

「ありますよ」

「じゃあ、四半期の利益を出して」

「売り上げじゃないんですか」

「売り上げがわかれば利益もわかるでしょう」

「それは無茶ですよ」

などというやりとりになってしまいがちです。効率が悪いのです。

統計データの「見える化」

データを扱うときに注意すべきポイントは、二つあります。
①欲しいデータが存在するだろうという先入観をなくす
②どのようなデータになってほしいかという期待値的仮説を持つ
ということです。

その前提として、数的なデータのように、すぐに分析に役立つ形式になっているか否かを常に確認する鍛錬をしておくことが望ましいでしょう。分析方法を検討する以前に、分析したい対象がそもそもデータとして存在していなかったり、存在していてもすぐに分析に使えるように整理や整備がされていない可能性もある、と認識するのがよいでしょう。

「データ項目として存在する＝使える」とは限りません。また、新しいデータであれ、既存のデータであれ、データ間の関連性の有無についても、日々確認しておきましょう。

このようにして、データの価値を理解していくことが必要です。加えて、データの概ね（おおむ）の位置づけや、代表的な数値（例えば平均値や中央値など）を知っておきます。データの特徴を把握しておくのです。これにより、データとの付き合い方がわかってきます。人間関係において相手の特徴や人柄を知ることによって付き合いに深みが増していくのと同じです。データとの付き合いも、データの特徴を理解していくことで、該当するデータの利用の仕方を工夫できるようになります。

渡辺さん ちょっと待ってください。数学とか、統計とかをあまり知らなくても、ブリッジ役として活躍できるのではなかったのですか。

講　師 数学や統計のことをあまり知らなくても問題ない、というのは事実です。統計学などは、基本を押さえておけば問題ありません。統計的にデータを見る場合、そのデータが有益か否かなどを判断しますよね。統計学のスキルを持ち出すことなく、比較的簡単に行うことができるところです。

統計学とは、ある程度のバラツキがあるデータの性質を調べたり、大きなデータ（母集団）から一部を抜き取って、その抜き取ったデータ（標本）の性質を調べることで、もとの大きなデータの性質を推測したりするための方法論を体系化したものです。つまり、データの持つ意味を確認する、ということです。それによって手戻り（やり直しを意味するＩＴ用語）がないようにします。

また、統計データや情報を社内にわかりやすく伝え、目標や視点を共有すること＝統計データの「見える化」も、統計学の大切な機能です。見える化には次のような意味があります。

・見えないものを目で見える状態にする作業

・見えなかったものを見たいという意思とは関係なく、強制的に見える状態にすること

つまり、単に「可視化」することではないのです。

見える化を企業に導入する際の注意点として、「わかりやすいこと」「全員が同じ認識を持てること」があります。見える化は、個人の暗黙知を組織で共有することを可能にするのです。見える化された統計データからは次のような効果が期待できます。

・ナレッジや成功要因として新たな成果を生み出す

・個人の成果を見える化して現状を把握することが可能になる

・成果の見える化は高いモチベーションにつながり、業務への意欲が向上する
・業務プロセスを見える化することで無駄を改善する

業務の進捗状況を把握することで業務効率が改善します。顧客を見える化できれば売り上げを上げることが可能になります。顧客のニーズが顕在化されるため、より適切な製品・サービスを生み出すことが可能になるからです。また、企業方針の見える化は組織を強化します。社員と企業の双方が同じベクトルで動くようになるからです。

講　師　いかがですか。確かに統計学になってしまう部分もありますが、数学や統計学を深く知らなければできないというほどのことではないでしょう?

浜田さん　データの見える化は、すごく大切ですね。社員のモチベーションに直接働きかけるし、もちろん経営陣が示す方向性をわかりやすくし

ていくことにも関連しますね。

高木さん　確かにそうかもしれませんが、平均値とか中央値とかは全く算出したことがないです。それら以外には、どのようなことがわかればいいのでしょうか。

講　師　それについても説明していきますね。

データサイエンスの扉を叩いてみましょう

押さえておくべきデータ項目（代表値）

データサイエンスの入り口で知っておくべきこととして、平均値、中央値、最頻値、分布、近似、相関、回帰分析などがあります。これらのうち平均値、中央値、最頻値は代表値とされています。次頁の表4にそれぞれの意味と特徴

表４　平均値、中央値、最頻値

代表値	意　味	特　徴
平均値	データの合計を データの個数で 割った値	通常、データ分布の中心となる。 ただし、数値データそのものであるため、 外れ値の影響を受けやすい。 外れ値があると、平均値は外れ値に寄る
中央値	データを大きさ順に並べ、 ちょうどデータ値の 半分の位置にあたる値	数値データでなく、データの並び順で決まる値。 外れ値の影響を受けにくい。
最頻値	データの中で 最も多く出現する値	データの出現度で決まる値。 外れ値は無視される。 外れ値の影響を全く受けない。

をまとめました。

覚えることが結構多いなあ、数学でも苦手だったなあ、と感じた人も多いのではないでしょうか。確かに中央値を求める場合などに「サンプルｎ個」などと言われたら、途端に頭が痛くなってしまうかもしれません。でも、現代においては強い味方がいます。マイクロソフトＥＸＣＥＬ（エクセル）です。搭載されている関数を使えば、代表値の計算も簡単に行うことができます。

データサイエンティストが実施しなくてはいけないのは、算出された数値データの意味、あるいはその妥当性や特性を理解することです。例えば相関はデータの属性を表しています。全

く関係のないデータとデータがわかっていれば、無駄な分析を本格的にする必要もなく、ロスも少なくなります。そのような視点で統計を見ていきます。そのためにも、簡単な関数からエクセルの練習をして、使い方や数値の見方を身につけ、自信をつけていくことが大切です。

前述したデータ項目の「中央値」「平均値」「最頻値」について説明します（グラフ2、3、4）。一見、いずれも真ん中になる値ではないかとイメージしがちですが、それぞれに性質が違います。

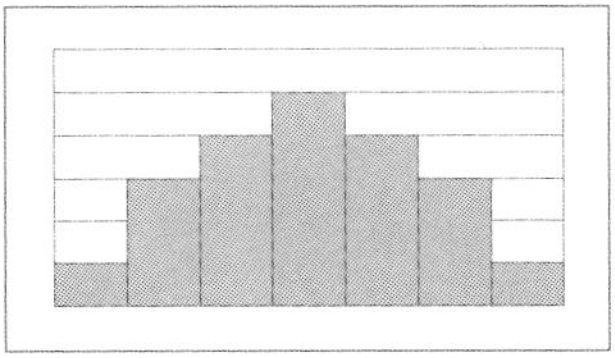

グラフ2　平均値＝中央値＝最頻値

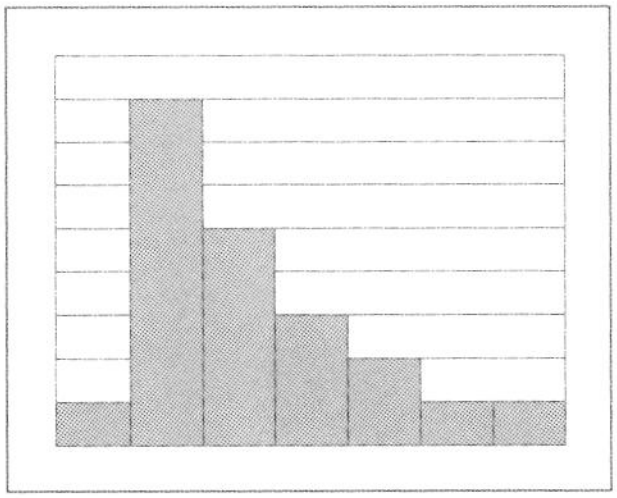

グラフ3　平均値 > 中央値 > 最頻値

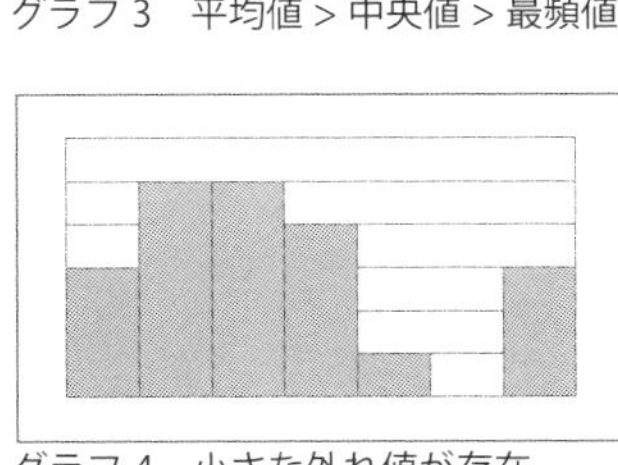

グラフ4　小さな外れ値が存在

グラフ2のヒストグラムは、「平均値＝中央値＝最頻値」の場合を示しています。データの外れ値がなく、ヒストグラムの中央値と最頻値が同じ場所にある状態です。

グラフ3は、「平均値＞中央値＞最頻値」の場合です。大きな外れ値が存在し、ヒストグラムの中央値より右側に広がりがある左右非対称の分布になっています。

グラフ4は、数値に「小さな外れ値が存在する」場合です。ヒストグラムの中央値より左に広がりのある左右非対称の分布になっています。

それぞれの値を連携させると、見えてくるデータの状況が大きく変わります。統計学では「平均でものを語るなかれ」と言われますが、これが「平均では」とか「平均的である」と安易に判断することが危険な理由です。ビジネスサイドでは、分析の依頼や社内資料の作成などの際に、この点を留意する必要があります。

図11は小売業2社の各店舗の売上達成率の状況です。全店舗の平均売上達成率は70％で、図の上の会社では平均値に固まっています。それに対して、下の会社ではバラつきが大きくなっています。いずれも全店舗の平均達成率は同じですが、各店舗の売上達成率は店舗によって異なっているのです。

この散らばりの程度を、統計学では「標準偏差」または「分散」と呼んでいます。矢印の長さを見るとその程度がわかります。

平均値との差を「偏差」、偏差を2乗して合計したものを「変動」と言います。偏差を2乗するのは、偏差を合計すると0になる場合があるためです。分散は「変動÷データの個数（ここでは店舗数）」

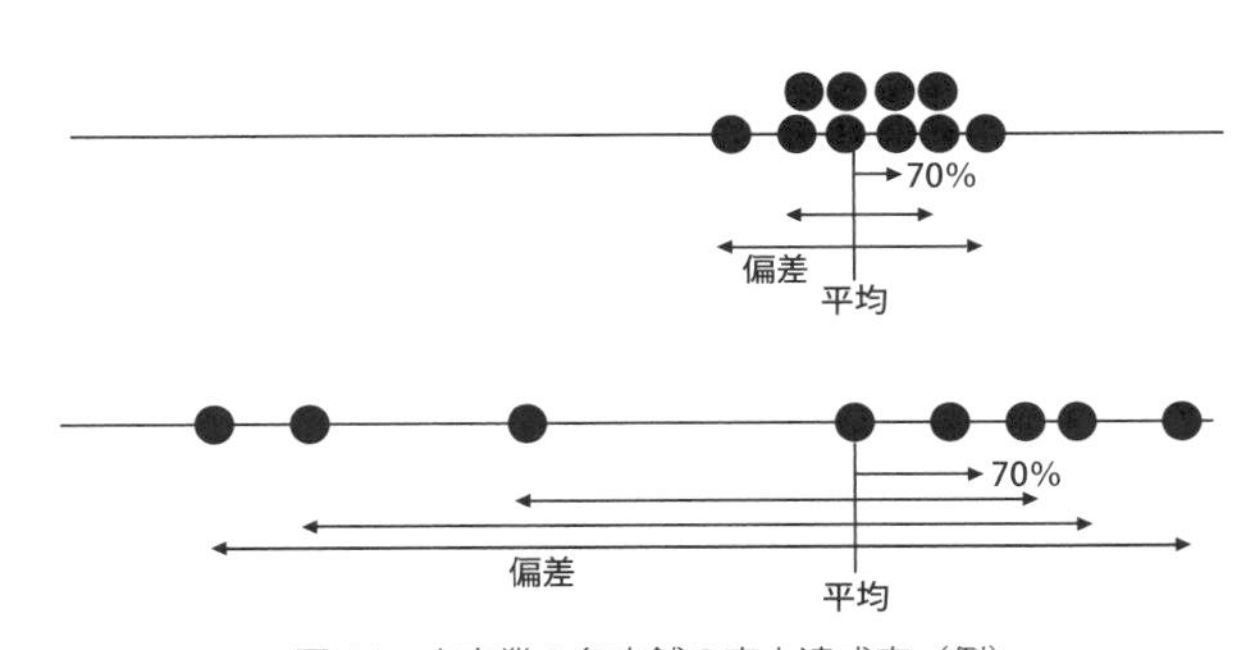

図11　小売業の各店舗の売上達成率（例）

で求めることができます。

このようにビジネス側でもデータの散らばりなどの特性を理解した上で、データサイエンティストと取り組むことがデータサイエンスの効率を高めます。

エクセルでデータサイエンスを体感しよう

データサイエンスの入り口として、表5に示した試験の成績表の数値を使って、エクセルで度数分布を作成してみましょう（エクセルのバージョンによって関数の使い方が少し違うので気をつけてください）。

度数分布の作成には「FREQUENCY（フリークエンシー）関数」を使います（表6）。平均値は「AVARAGE（アベレージ）関数」、中央値は「M

50	75	85	68	56	78	41	54	68	71
78	92	65	62	58	65	82	78	45	52
69	70	82	65	55	58	60	68	48	81
95	90	88	52	66	68				

表５　試験の成績表

		0	←		FREQUENCY（データ配列、区間配列ここでcontrol+shift+enter）					
40から50未満	50	4			4	←	FREQUENCY（データ配列、区間配列			
50から60未満	60	8			8		ここでcontrol+shift+enter）			
60から70未満	70	11			11					
70から80未満	80	5			5					
80から90未満	90	6			6					
90から100未満	100	2			2					

表６　フリークエンシー関数

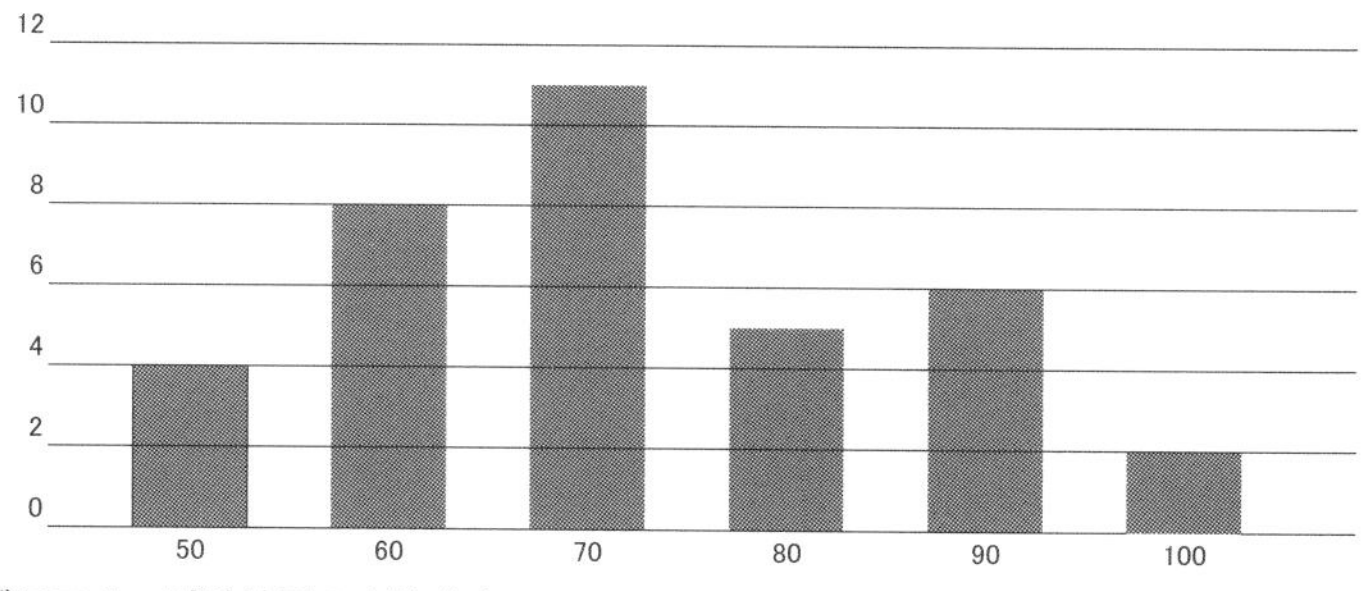

グラフ５　試験結果の度数分布

EDIAN（メディアン）関数」を使って計算します。その結果がグラフ5です。どのような分布になっているのかが少しわかります。

次に相関を見てみましょう。相関とは2種のデータの関係を表し、正の相関と負の相関があります。

・正の相関　〈例〉気温が上がるとアイスクリームが売れる
・負の相関　〈例〉駅から遠くなると賃貸料が下がる

逆に、何ら関係のないデータ同士、例えば正比例や反比例などの関係がないデータを連携させようとしても何の結果も現れません。関係のないデータを使って分析を実施することは、時間の浪費、コストの無駄遣いなのです。

そこで問題です。勉強時間と成績には相関関係があるでしょうか。この確認のためには、「CORREL（コリレーション）関数」を使って相関係数を算出します。その結果が表7に示した「勉強時間と成績」です。一見して勉強時間と成績には相関関係が強いことがわかります。このテストに関しては、勉強時間を増やすことが正解となります。

相関係数に関して改めて説明します。相関係数を一言で言うと、「2種類のデータ間の関連性（相関関係）の強さを示す指標」です。相関係数は－1（マイナス1）から1までの数値で表されます。正の相関は0を除く0から1、負の相関は0を除く0から－1の範囲を言います。0.7～1は「強い正の相関」、逆に－0.7～－1は「強い負の相関」です。0は「相関がない」となります。

ここからがいよいよ「単回帰分析」（図12・172頁）の世界です。何やら難しそうな言葉ですが、エクセルを使うとわかりやすいです。

No	勉強時間	成績
1	0	10
2	20	35
3	30	30
4	45	50
5	70	55
6	80	85
7	90	75
8	90	95
9	120	90
10	150	100
平均	69.5	62.5

表7　勉強時間と成績

図12　単回帰分析

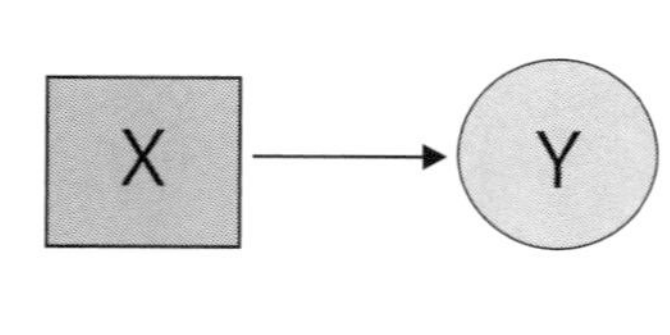

図13　重回帰分析

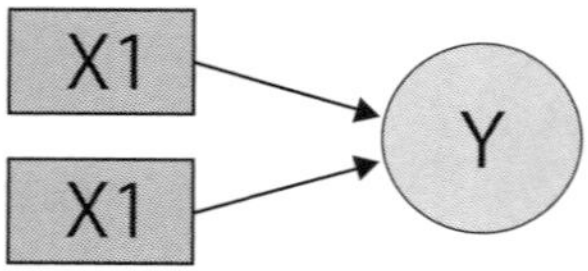

X1
X1
Y

単回帰分析とは一つの目的変数を一つの説明変数で予測するもので、その2変量の間の関係性を$y = ax + b$という一次方程式の形で表します。aつまり関数をデータに当てはめることによって、ある変数yの変動を別の変数xの変動によって説明し、予測し、影響関係を検討するための手法です。例えば、身長と体重の相関関係を見るとすると、a（傾き）とb（y切片）がわかれば、x（身長）からy（体重）を予測することができます。

補足ですが、回帰分析とは説明変数が一つの回帰モデルです。説明変数が一つなので$y=ax+b$のグラフの形、つまり線形の関係を仮定して目的変数を予測します。グラフの形から、線形単回帰分析とも呼ばれます。単回帰分析だけでは因果関係の特定はできませんが、推論の手がかりにはな

ります。説明変数が2変数以上になる回帰分析を「重回帰分析」(図13)と言い、より高度な分析が可能となります。

エクセルで操作してみましょう。散布図をクリックすると、グラフの右上に「＋」のアイコンが出てきます。ここをクリックすると散布図に追加する「グラフ要素」が表示されるので、その中から「近似曲線」をチェックします。これで散布図に近似曲線が追加されます。

さらに、近似曲線上で右クリックすると、メニューが表示されます。その

グラフ6　散布図（近似曲線の数式が表示される）

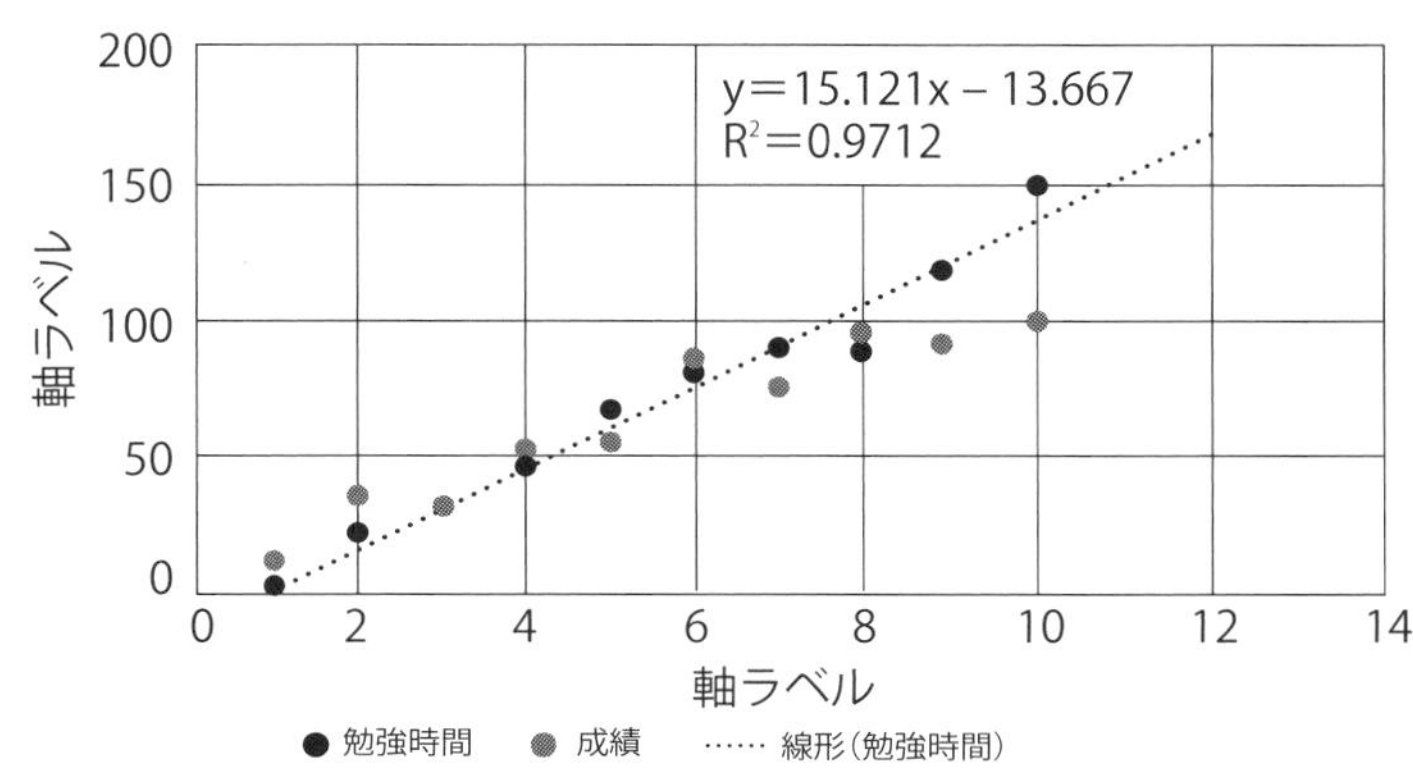

中の「近似曲線の書式設定」をクリックすると設定画面が右側に現れるので、そこから「近似曲線のオプション」を選び、「グラフに数式を表示する」にチェックを入れます。すると、散布図に近似曲線の数式が表示されます（グラフ6・前頁）。

ここまでの作業をエクセルでできるようになれば、予測もできるようになります。前頁のグラフのようなイメージも持ちやすいです。もちろん勉強時間と点数に関係性もあると実感できます。例えば3時間勉強したときのテストの点数は、15.12×3—13.667で約32点になります。残念ながら勉強時間と成績はやはり、相関が強そうです。

このようにエクセルで容易にデータの相関関係を確認したり、予測をすることが可能です。グラフ7に近似曲線、単回帰分析について整理しておきます。

グラフ7　近似曲線、単回帰分析のまとめ

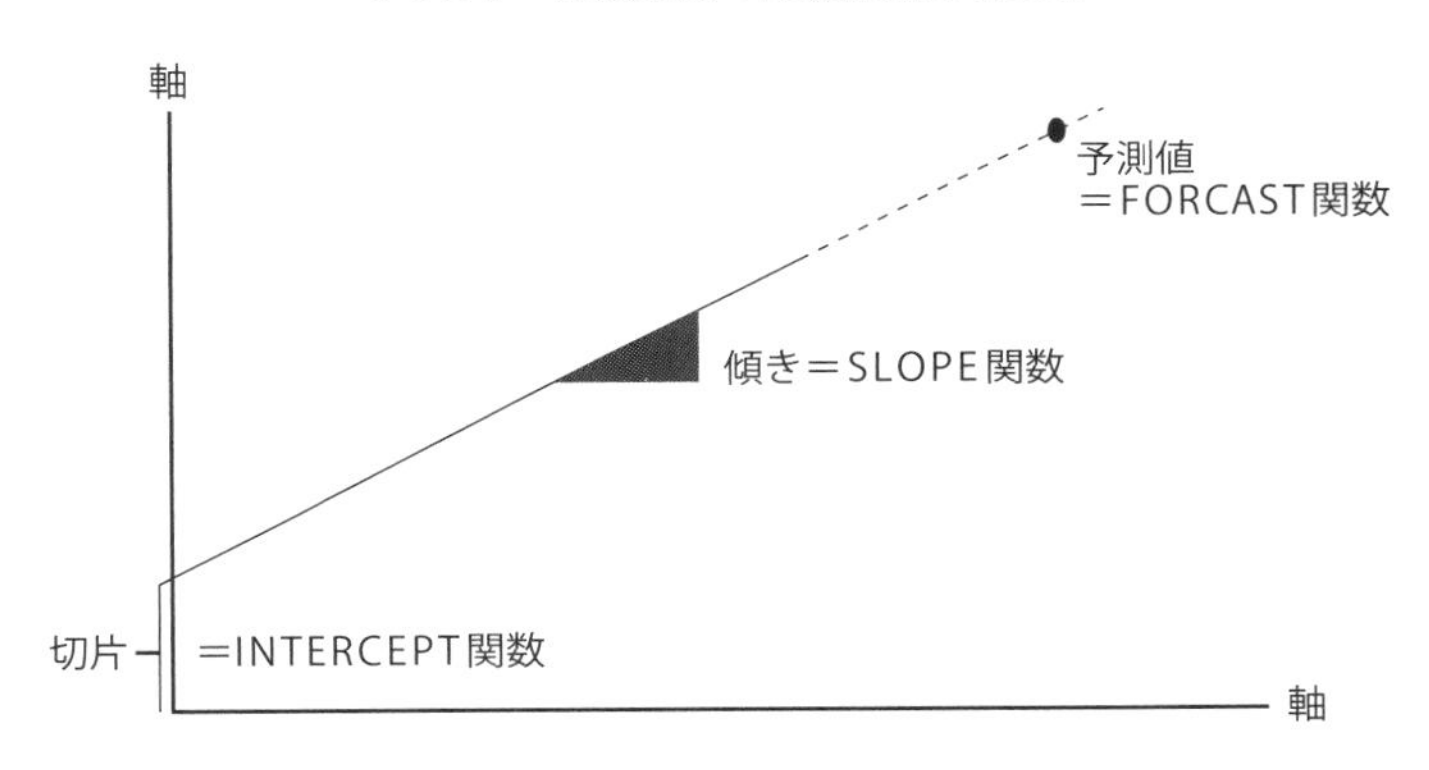

・SLOPE 関数：回帰直線の傾きを求める。増加、減少の傾向がわかる。
・INTERCEPT 関数：回帰直線の切片を求める。SLOPE 関数と合わせて回帰方程式を構成する。予測値を求める。
・FORCAST 関数：回帰方程式を立てずに直接、回帰直線上の予測値を明らかにする。
・予測値：傾き X。予測値に使いたい数値＋切片。

Chapter 6

ＡＩを何に、どう活かすか

ＡＩが人間を凌駕する時代が来ると言われています。現在、そのＡＩはどこまで進化し、何に使われ、今後は実際どうなるのか。共存のあり方を探ります。

そもそも「AI」って？どこまで進化している？

AIとは何か、どう変遷してきたか

ＡＩという言葉を聞かない日はないのではないでしょうか。テレビなどのメディアだけでなく、日常会話においても、毎日１回どころではなく耳に入ってくるような状況に、驚きさえ覚えています。では、ＡＩと聞いて、身近なもの

Chapter 6

AIを何に、どう活かすか

では何を思い浮かべるでしょうか。

渡辺さん　家電製品ですね。炊飯器で「AIを搭載しているのでおいしく炊けます」とか。冷蔵庫もAIによって冷蔵室、冷凍室、野菜室の温度を最適にして、電気代もセーブできたり。他にも「こんなものにまでAIが⁉」と思うこともあります。

高木さん　私もまず思い浮かぶのは家電製品です。掃除機にもAI搭載とかありますよね。それとスマホかな。質問すると答えてくれたりするのもAIだと聞きました。今や何でもAIと感じるくらいです。

浜田さん　翻訳にAIが使われているそうですね。いつの間にか、日本語から英語への翻訳、その逆もすごくスムーズになってきています。これはかなりすごいことです。

村上さん　製造業のラインで使っているとも聞きます。品質を一瞬で判断して不良品を除外するとか、製品の不良化を防ぐためにも使われているようですね。このようなことを製造用のロボットとのセットで実現しているのだとか。国内のスーパーでは、レジなし決済や生鮮品の鮮度管理などをＡＩで行っていると聞きました。海外ではアマゾンがキャッシュレスストアを実現しています。

渡辺さん　最近では手書きの文字を読み取る仕組みが精度アップしています。以前は少しでもマスの線に文字がかかるとエラーになったりしていましたよね。「ＡＩ－ＯＣＲ」って言うんでしたっけ。

浜田さん　北京五輪の開会式で、ＡＩで人の動きを読み取ってデータ化する「モーションキャプチャー」が使われていましたね。人の動きに合わせて星や雪の結晶が映し出され、とても感動的でした。

すでに様々な生活シーンにＡＩが入ってきています。とはいえ、ＡＩは実像が見えないので、「ＡＩって何?」という疑問がかえって強まっているような感じもあります。ＡＩとは何なのか、改めて整理してみましょう。

Chapter 6

AIを何に、どう活かすか

ＡＩとは「Artificial Intelligence」の略で、日本では直訳して人工知能と呼んでいます。以前から誰もが知っている言葉ですが、実は現時点で「ＡＩとは何か」は正式に定義されていません。応用範囲が爆発的に広がっていることから、今、定義をしてもすぐに陳腐化してしまうため、学術的な統一見解を設定できないのです。しかし、これではＡＩを語る共通語がないままになってしまいます。そこで私はこんなふうに考えるようにしています。

ＡＩという言葉は、「人工」と「知能」でできています。これらの言葉は次のように定義することができます。

・人工……人間が作ったもの
・知能……知的な振る舞いを行う能力

「知的な振る舞い」とは、私は「何らかの振る舞いをする前に、その意味を少し考えること」と解釈しています。言い換えれば、物事に対する条件反射のあり方は、物事の性質によって違ってくるということです。人工知能の対義語として自然知能があります。これは自然科学が規定する知能と言えます。世界を俯瞰して理解するために構築された知能が自然知能です。

ＡＩという言葉は一般に、人間の作業や思考、推論などを代替ないしは補助するものという意味で使われます。つまり、人間と同じレベルの汎用的能力を持っているという意味ではないのです。ＡＩの定義自体が明確でないためイメージしづらいかもしれませんが、「人間レベルの知能ではない」という解釈はとても大切です。

そのことを理解するために、ＡＩの歴史を振り返ってみましょう。というのも、ＡＩは今、初めてブームになっているのではないからです。図14にまとめました。

第１次ＡＩブームが起こったのは１９６０年代のことです。１９５６年に「人工知能」という言葉が誕生し、以降、「人工対話システム」など開発が相次ぎました。ところが、１９７０年代にパタッと動きが止まってしまいます。この「冬の時代」の理由は後述しますが、エキスパートシステムが関連しているようです。

年代	人工知能の置かれた状況	主な技術等	人工知能に関する出来事
1950 年代	第 1 次 人工知能 ブーム （探索と推論）	・探索、推論 ・自然言語処理 ・ニューラルネットワーク	チューリングテストの提唱（1950 年） ダートマス会議にて「人工知能」という言葉が登場（1956 年） ニュートラルネットワークのパーセプトロン開発（1958 年）
1960 年代		・遺伝的アルゴリズム	人工対話システム ELIZA 開発（1964 年）
1970 年代	冬の時代	・エキスパートシステム	初のエキスパートシステム MYCIN 開発（1972 年） MYCIN の知識表現と推論を一般化した EMYCIN 開発（1979 年）
1980 年代	第 2 次 人工知能 ブーム （知識表現）	・知識ベース ・音声認識	第五世代コンピュータプロジェクト（1982～92 年） 知識記述のサイクプロジェクト開始（1984 年）
1990 年代		・データマイニング ・オントロジー	誤差逆伝播法の発表（1986 年）
	冬の時代	・統計的自然言語処理	
2000 年代	第 3 次 人工知能 ブーム （機械学習）	・ディープラーニング	ディープラーニングの提唱（2006 年）
2010 年代			ディープラーニング技術を画像認識コンテストに適用（2012 年）

図 14　A I の変遷　出典：総務省「I C T の進化が雇用と働き方に及ぼす影響に関する調査研究」（2016 年）／再編加工

第２次ブームが到来したのは１９８０年代のことでした。この頃に開発された主な技術として「知識ベース」「音声認識」「データマイニング」などがあります。そして１９９０年代はまたもや冬の時代。第３次ブームが起こったのは２０００年代初頭でした。それまでのブームと異なるのは、「ディープラーニング」という技術革新が起こったことです。システムにかかる負荷を大きく軽減させることができ、これからは冬の時代が来ることなく、ＡＩは進化を続けるのではないかと考えられています。

高木さん　ＡＩについては「シンギュラリティ」という言葉がよく使われます。これは何なのでしょうか。

講　師　ＡＩが人間の知能を超えるレベルに達する転換点のことです。ＡＩが自ら知能や技術を向上させ、人類に代わって文明の進歩の主役になる時点を意味します。簡単に言えば、ＡＩが人間を支配することが可能になる。映画で観たことがあるのではないでしょうか。

浜田さん 「ブレードランナー」はその一つではないでしょうか。

村上さん 「アイ，ロボット」もそうですね。

ＡＩが普及した社会を背景にした映画はたくさんありますが、そこで描かれたような世界になる可能性を完全否定することは現時点では不可能なようです。ただ、個人的な見解ですが、ＡＩが進化しても、手足など行動できるツールを手に入れないと実現が難しいのではないかと思います。知能だけで世界を支配することも可能でしょうが……。ロボットも進化していますが、人と同じ行動ができるまでにはまだかかるでしょうから、しばらくはＳＦの世界かもしれません。

データサイエンスの定義のところでも述べましたが、人に取って代わることが可能な機能はどんどん増えていくと思います。ただし、人が行っている仕事

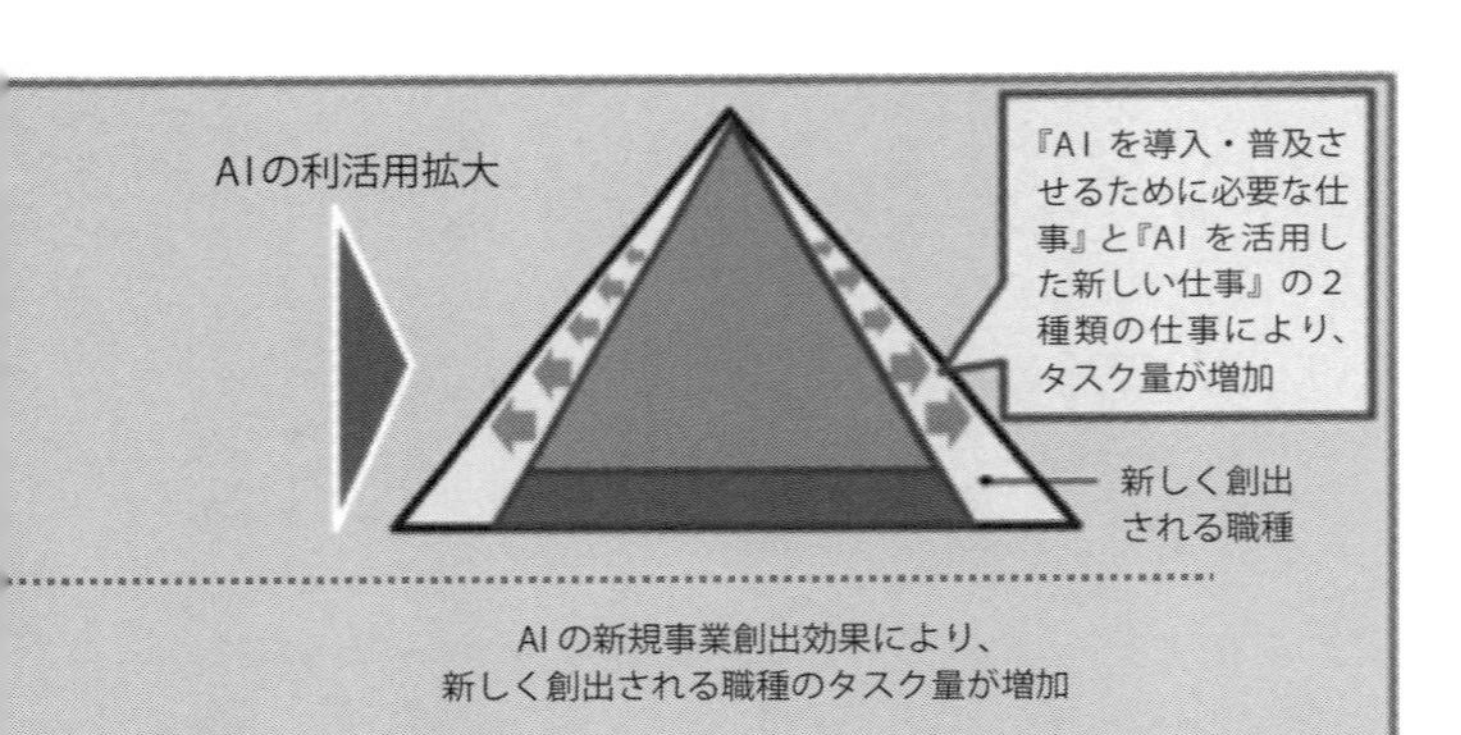
AIの利活用拡大
『AI を導入・普及させるために必要な仕事』と『AI を活用した新しい仕事』の２種類の仕事により、タスク量が増加
新しく創出される職種
AI の新規事業創出効果により、
新しく創出される職種のタスク量が増加

3
産業競争力への直結による雇用の維持・拡大
AIの利活用にいち早く取り組んだグローバル企業が、産業競争力を向上させることにより、雇用が維持・拡大される
（但し、日本企業にとって、デジタル化や業務プロセス最適化への対応の遅れが、AI の導入・利活用の足かせになりやすい）
4
女性や高齢者等の就労環境の改善
AIを効率的に使った生産性の高い仕事に転換することにより、長時間労働を前提としないフレキシブルな働き方が可能となり、女性や高齢者等の活躍の場が広がる

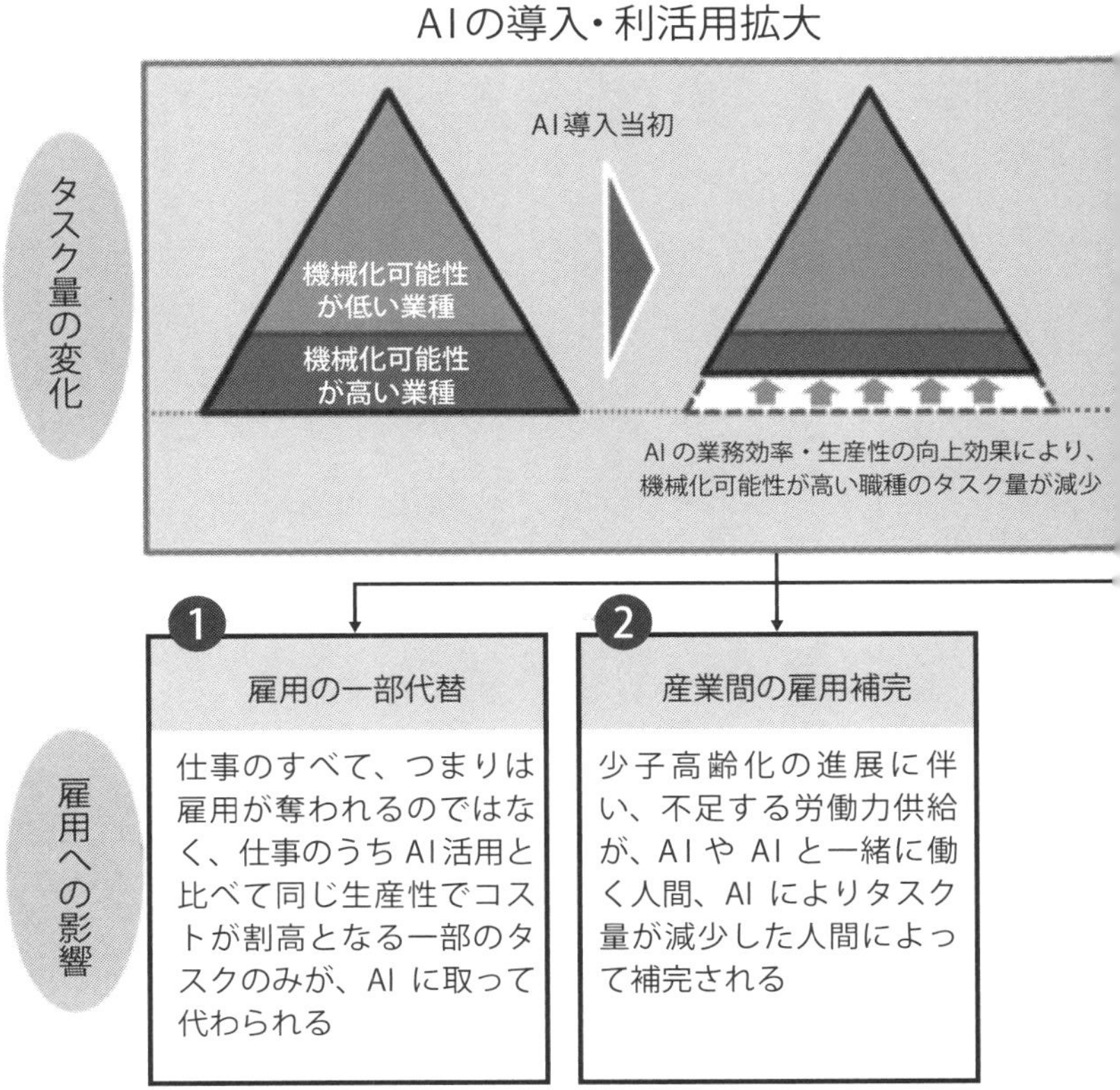

AIの導入・利活用拡大

タスク量の変化

機械化可能性が低い業種

機械化可能性が高い業種

AI導入当初

AIの業務効率・生産性の向上効果により、機械化可能性が高い職種のタスク量が減少

雇用への影響

1 雇用の一部代替

仕事のすべて、つまりは雇用が奪われるのではなく、仕事のうちAI活用と比べて同じ生産性でコストが割高となる一部のタスクのみが、AIに取って代わられる

2 産業間の雇用補完

少子高齢化の進展に伴い、不足する労働力供給が、AIやAIと一緒に働く人間、AIによりタスク量が減少した人間によって補完される

図15　AIの導入・利活用の拡大　出典：総務省「ICTの進化が雇用と働き方に及ぼす影響に関する調査研究」報告書（2016年）／再編加工

が全てＡＩに奪われるとは思わないでください。現在は人が行っている単純な業務をＡＩに代替させ、それによってタスク量が減った人がＡＩを補完することで、近い将来に発生するであろう労働力不足を回避しながら人の業務も確保するなどの変革を行うことができる、という考え方が必要です(図15・前頁)。

「強いAI」と「弱いAI」

ＡＩについて「最低限覚えてほしいこと」「何となく記憶があるくらいでよいこと」「覚えておくとよいけれど、忘れてもデータサイエンスのビジネスサイドの組織には大きく影響しないこと」を示していきます。覚えてくださいと書いたところは、まずは覚えておいてください。数学や理科系のことはあまり多く出てきません。

まず覚えてほしいのは、ＡＩには「強いＡＩ」と「弱いＡＩ」があるということです。ＡＩ同士が喧嘩をして「強い」「弱い」を決めているのではありません。

弱いＡＩとは、今までのコンピュータにかなり近いＡＩです。特定の課題に対して人間に匹敵する知能、つまり課題を決めて実行させるとかなりの性能を発揮するＡＩのことです。まさにＡＩの役割の一つ、人の業務の代替です。「特化型人工知能」とも言われます。

強いＡＩとは、人の脳に近いＡＩです。総合的な判断ができ、自意識も備えています。「汎用人工知能」と呼ばれます。人間に匹敵する知能です。

村上さん　ということは、現在、一般的に使われているのは弱いＡＩなのでしょうか。

講　師　そうですね。業務に特化したＡＩであって、感情などを本格的につかむことは難しいのが現状です。汎用型は研究段階ですが、AIの技術革新はハイペースで進んでいるので、いつマーケットに出てくるのか楽しみですね。現時点で人の表情から感情を読み取ることはできるようになってきています。さらに進化して、我々の生活や仕事がより充実してくるといいですね。

ＡＩの強みを説明しましたが、弱みもあります。人工知能が越えられていない壁とは何でしょうか。

ＡＩがトランプをしていると考えてください。近くで何が起こっても、ＡＩはトランプをし続けます。人はどうか。廊下で何か物音がしたら、「何が起こったか」と見に行くでしょう。状況によっては大きな声を出して危険を知らせたり、避難を誘導したりすると思います。このような反応の違いから見えてくるのは弱いＡＩ、いわば特化型ＡＩです。トランプ以外のことには何も反応することができない、しかしトランプをさせたらとても強いＡＩです。

もう一つ、ＡＩは現実世界と単語を結び付けた理解ができません。例えば、ＡＩに「りんごは赤い」と教え、青という色について説明した上で、青いリンゴを見せたとします。ＡＩは、この青いリンゴをリンゴと認識できません。青という色とリンゴを結び付けられないのです。人間は「リンゴに似ているな」「リンゴかも」「青いリンゴもあるかな」「これはリンゴだな」と紐づけて認識していくのですが、弱いＡＩは紐づけられないのです。このような弱いＡＩの特徴を、覚えるというよりはイメージとして持っておくことが大切です。

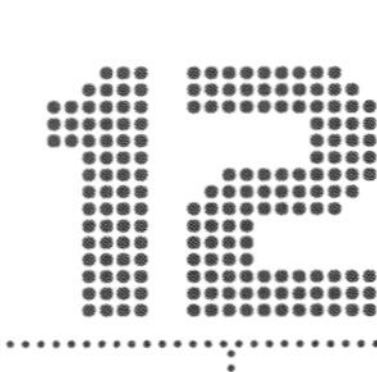

AIにはどんな種類があって何に使われているの？

AIには三つのタイプがある

現在までにAIブームは3回あり、それぞれに特徴がありました。その特徴により、AIは「探索アルゴリズム」「エキスパートシステム」「機械学習（ディープラーニング）」に分類されています。それぞれの特徴があるがゆえに、冬の時代に突入することにもなりました。しかし、第3次ブームにある現在も、これら三つのAIが使われています。これもAIの特徴と言えます。

●探索アルゴリズム

第1次AIブームで中心となった研究です。事前に決めたアルゴリズムに基づいて探索を行うAIで、そのポイントは図16に示した①から⑪までいかに速く進むかです。ツリー構造でデータをわかりやすく分類していく分析手法「決定木」、複数の決定木を使って行う機械学習の手法「ランダムフォレスト」などは現在も使われています。

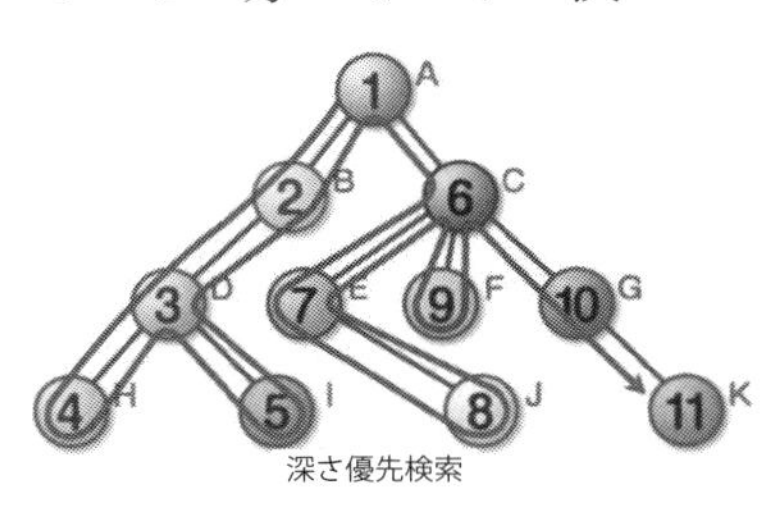

図16　探索アルゴリズムのイメージ

●エキスパートシステム

第2次AIブームで中心となった研究です。レコメンド、ルール化された業務では現在も活用されています。１９７０年代に開発された「Mycin（マイシン）」が有名です。伝染性の血液疾患を診断して抗生物質を処方し、患者の体重をもとに供与量を調節するシステムです。抗生物質の多くに「-mycin」の接尾辞が付くことから、この名称になりました。69％の確率で正しい処置ができたのですが、実際には利用されませんでした。その大きな理由は次の3点です。

・当時の計算機は高価でパワー不足だった
・間違いがあった場合に誰が責任を取るのか明確にできなかった
・専門家から知識を取得するのにコストがかかり過ぎた

これらの課題があることから、エキスパートシステムの構築には時間を要します。そのため、現在はレコメンド、ルール化された業務にしか使われていません。主に情報に関する責任の所在を明確にできなかったため、第2次ＡＩブームは衰退したとも言われています。データサイエンスの組織のあり方、権限や責任の所在などを考える上で良い事例かもしれません。

●機械学習

機械学習は、「与えられたデータをもとに問題に対応する出力(解)を推定する」ことを指します。「機械（コンピュータ）」が自動で「学習」し、データの背景にあるルールやパターンを発見する、ということです。

現在は従来の「統計学」による仮説検証型のデータ分析では見つけられなかった「新しい発見」を得たり、「高い精度の予測モデル」を構築できるようになっています。コンピュータがデータから反復的に学習し、そこに潜むパターンを見つけ出し、その結果を新たなデータに当てはめることで、パターンに従って将来を予測することができます。人手によるプログラミングで実装していたアルゴリズムを、大量のデータから自動的に構築可能になるため、様々な分野で応用されています。

「大量の複雑なデータを分析し、より正確な結果をより速やかに提供できるモデル」を自動的に短時間で生成し、超大容量のデータも扱えるようになりました。

正確なモデルを構築することで、企業や組織にとっては収益拡大の機会を特定したり、未知のリスクを回避したりできるチャンスが広がります。

　機械学習システムを作るために必要な要素には、

・データの準備
・アルゴリズム
・自動化プロセスと反復プロセス
・拡張性
・アンサンブルモデル

などがあります。

　機械学習の処理イメージはグラフ8の通りです。主に「分類問題」と「回帰問題」に使用します。分類とはデータの「〇」と「×」を分ける線（式）を

グラフ8　機械学習の処理イメージ（教師あり学習）

● 分類

・データを分ける**決定境界**を求める

● 回帰

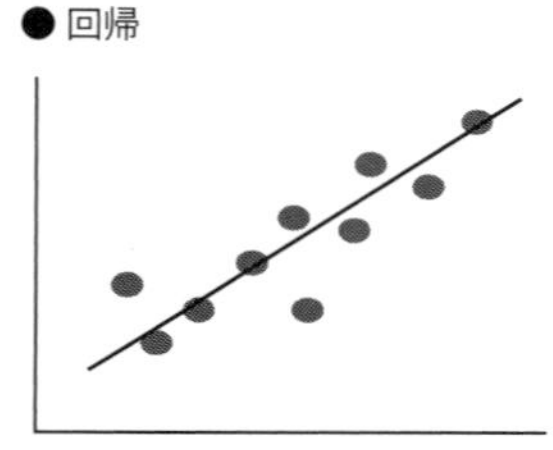

・データが当てはまる**回帰モデル**を求める

見つけ出すことであり、回帰とは全ての点に最も近い線（式）を見つけることです。いずれも最小二乗法（200頁・グラフ9参照）を基本として、さらに関数を使って線を引いていきます。データサイエンスの入り口の段階では、この手法を覚えるというよりは、こういうことをやっているのが機械学習だと覚えてください。

機械学習には2種類あります。「教師あり」と「教師なし」という方法（図17・次頁）です。教師あり学習とは、問題と正解がセットになったデータを使ってコンピュータに学習させる方法です。通常は、あらかじめ入力する値とそれに対する正解がセットになった学習用データを人間が大量に用意します。このデータが「教師」なのです。それに対して、教師なし学習では、正解が与えられません。膨大な入力データの中から、コンピュータ自身がその特徴や定義を発見していきます。例えば、様々なデータから同じような特徴を持つものを区別するときなどに使います。

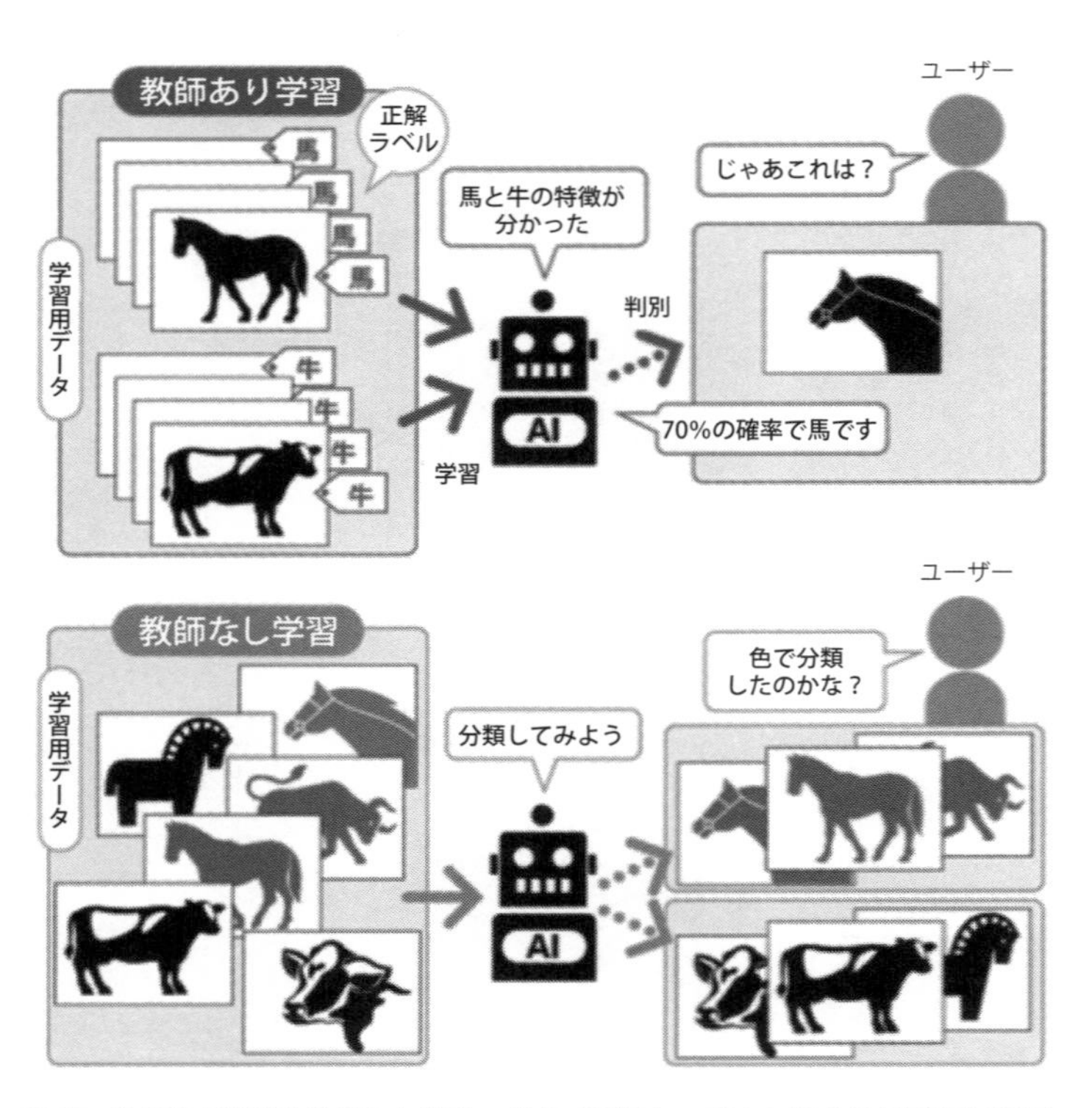

図 17　教師あり学習と教師なし学習　出典:「日経クロストレンド」2019 年7月12日号

ディープラーニングとは

ディープラーニング（深層学習）とは、音声の認識や画像の特定、識別、予測など、人間が行うタスクをコンピュータに学習させる機械学習の手法の一つです。例えば、膨大な数の写真と人物名をコンピュータに入力して処理させることで、同一人物と他人を区別するための判定ポイントを自動学習させることに使います。

日本の人工知能の第一人者とされる東京大学特任准教授の松尾豊氏は、「ディープラーニングをできるだけ簡潔にいうと、深い関数を使った最小二乗法である」と、ＩＴメディアにツイートされていました。最小二乗法とは、散布図にある全ての点を通るような直線を引くための数値を求める方法です。ただ、これからデータサイエンスを学ぼうとする人には「?」かと思います。最小二乗法を理解することは大切ですが、まずは第５章でエクセルを使って作成した近似曲線を思い出してください。最小二乗法で算出した線（グラフ９）と似ていませんか。両者は同じではありませんが、似ているというイメージを持ってください。

また、ディープラーニングは、多層ニューラルネットワーク技術の総称でもあります。機械が自動的にデータから特徴を抽出してくれるディープニューラルネットワーク（ＤＮＮ）を用いた機械学習です。特徴とは互いを区別するための際立った部分を指します。ＤＮＮは、人間や動物の脳神経回路をモデルにしたアルゴリズムを用

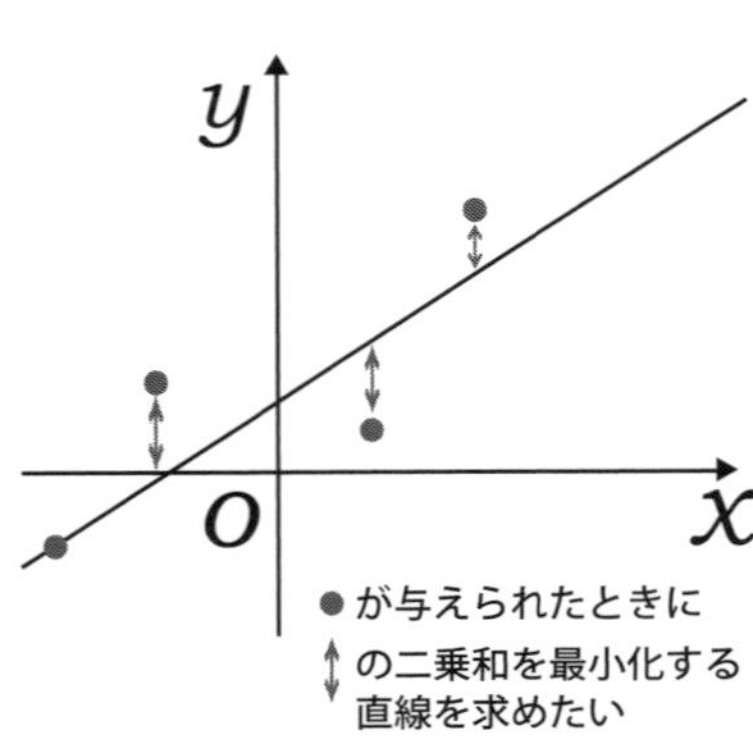

グラフ９　最小２乗法による直線

い、パターン認識するように設計されたニューラルネットワーク（NN）をさらに多層構造化したもので、入力層を除いて3層あります。ディープラーニングは、この自動生成するポイントを複数並べて、実際の脳のニューラルネットワークをシミュレートする技術です。

ここに出てくる用語は聞いたことがあるくらいに覚えてください。それ以上に理解・暗記できるのはよいことですが、覚えられないとしても悲観する必要はありません。

ちなみに、機械学習では、対象は「ラ

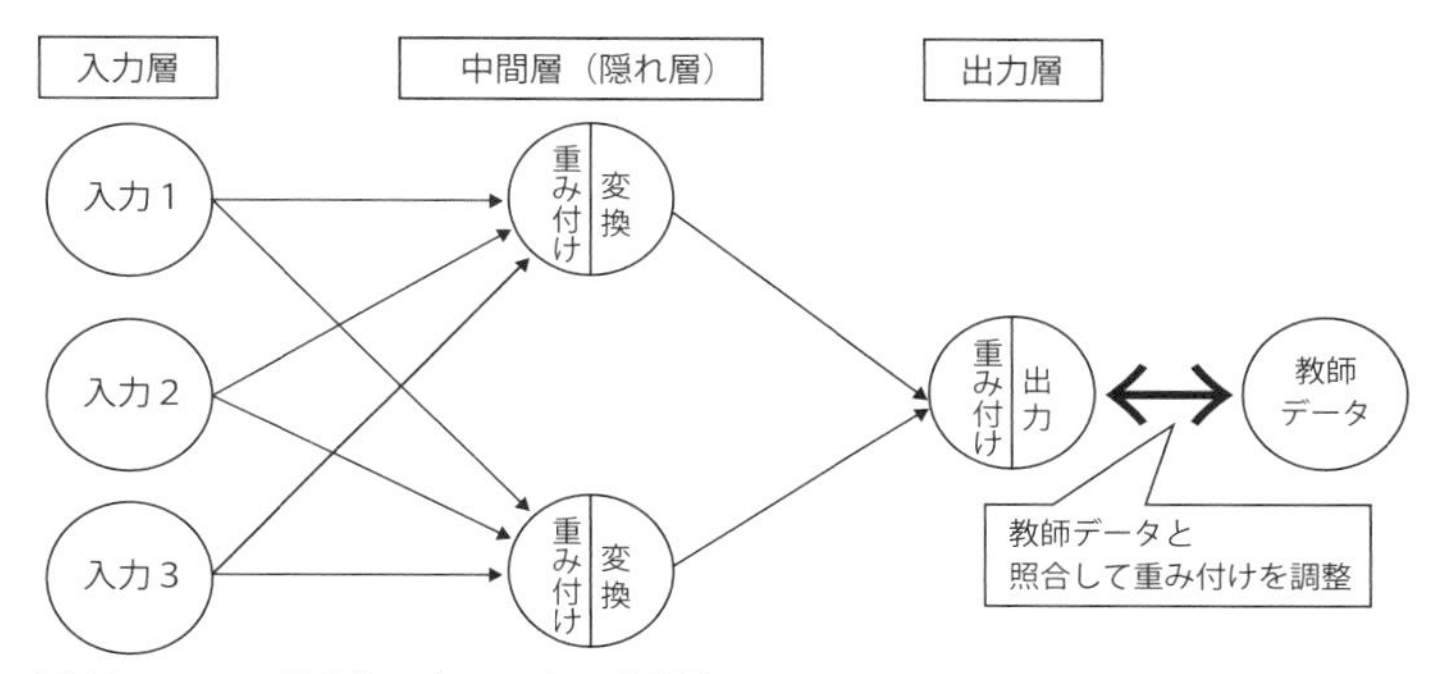

図18　ニューラルネットワークの仕組み
出典：総務省「ICTスキル総合習得教材」3-5：人工知能と機械学習／再編加工

ベル」と呼ばれます。統計学で対象と呼ばれているものは「従属変数」、変数と呼ばれているものは「特徴」、変換と呼ばれているものは「特徴抽出」と呼ばれています。

ＡＩの活用事例

ここからは実際にＡＩをどう活用していくのかを考えてみましょう。ＡＩは人間の口、耳、鼻の機能を持っているとよく言われます。持てる機能をどう使っていくか、そのアイデア出しが必要なのです。例を挙げて説明しましょう。

まず、ＡＩはどのようなことを検知できるのでしょうか。カメラ解析による商品接触ヒートマップによって次のような情報の収集・分析が可能です。

・用事……作った売り場がお客様の支持を得られているか
・概要……売り場でのお客様の行動（通過、注目、接触）
・方法……動画情報からお客様の動きを捉え、数値化する

カメラ解析のステップは次の通りです。

①人の検知（動画の中から人を見つける）
②お客様と従業員の仕分け　↓　通過人数
③立ち止まりの時間を計測　↓　注目人数、注目時間
④商品に接触したかを解析　↓　接触人数
⑤①～④のデータ化

では、実際にどんなことに使っているのか、小売業の例を紹介します。

・来店客人数カウント……天井に設置したカメラから、来店客の人数をカウントすることができます
・年齢・性別推定……来店客の顔画像を取得し、ディープラーニングを活用した

店舗入り口（店内側）

図 19　カメラ画像の利活用
出典：経済産業省」カメラ画像利活用ガイドブック」(2020 年)

店舗内全体

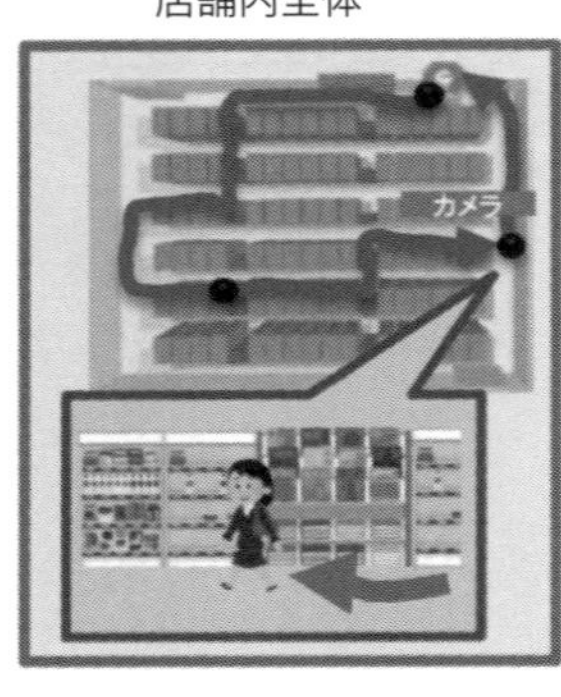

画像解析技術によって、来店客の年齢・性別を推定することができます

・店前通行量の計測……店舗前の通行量を計測する。来店人数カウントと組み合わせ、通行者が入店する割合（入店率）を測定できます。これらが可能になったのは実はすごいことなのです。例えば、前に歩いているのが大きな人で後ろを歩いている人が小柄だとカメラに映らないなど、商業施設など混雑している場所のデータ化は、少し前までは技術的な課題がたくさんありましたが、それが解決されてきました。このようにＡＩは、日進月歩どころではないス

ピードで技術革新が為されています。

・リピート推定……来店客の顔画像を取得することにより、リピーターの比率や再来店回数などを測定することもできます（リピート推定が可能な期間は6カ月以内に限ります）

・動線分析……入店から購買までの顧客行動を連続的に把握し、顧客の回遊状況を明らかにします

渡辺さん　顔認証でここまでできるようになっているとは思っていませんでした。怖いくらいですね。データの扱いはしっかりとルールに則っているのでしょうけど……。

村上さん　ここまでわかると、お客様に対して店舗からいろんなプレゼンテーションができるのではないでしょうか。

浜田さん　確かにすごいと思いますが、村上さんが言ったように、得られたデー

タで何ができるのかを考えることが重要だと思います。

村上さん 精度はどうなんだろう。マスクの着用が必須になり、さらにサングラスや帽子などを着けたら、データの精度は落ちないのでしょうか。

まず大切なのは「ＡＩはここまで来ているのか」という実感です。この実感を持てるか否かで、ＡＩ活用の可能性の考え方に大きな差が出ます。スタート地点ですでに差がついてしまうのです。

次に、事例に挙げた小売業の場合、お客様に何を訴えていくかも重要です。分析結果はその根拠となります。まさにデータサイエンスですが、精度の高い予測に基づいてお客様に何を提案するのかを考えていきます。出てきた結果に驚くこともありますが、そこに留まっていては何も解決されません。大切なことは「何をするか」「何ができるか」を考え、実行し、その結果を検証して次に進むことです。ＰＤＣＡサイクルを回すことがデータサイエンスの本質であり、分析だけで終わるものではないのです。

渡辺さん　分析結果だけで生産性が上がれば楽ですけど、それはあり得ないですからね。

高木さん　出てきた結果の意味を理解して、アクションに結び付けたいです。

村上さん　「データ分析がデータサイエンスではない」ことがよくわかる事例です。小売業の場合、何歳代の入店客がこのくらいとわかっても、そこで終わったら何の役にも立ちません。「考える」ことまで行わないといけないと強く感じます。

結果を見て次のステップに進むという行為は、人にしかできません。その根拠となるデータをＡＩは示してくれますが、そこから先を考え、実行するのは人です。人がすべき業務、ＡＩが行う業務を整理して、より充実した世界

（Society 5.0）に進んでいくことが大切です。

ＡＩとの連携が期待されるロボットについては本書ではあまり触れていませんが、すでに様々な分野でＡＩを搭載した業務用ロボットの導入が進んでいます。例えば、フロアの見守りや清掃、店内の案内などビジネス・生活シーンで散見されます。今後も活用範囲は拡大し、ＡＩと人の共存のありようが見えてくると思います。

Chapter 7

データサイエンスと倫理

ネットは私たちの生活やビジネスに不可欠なものとなりました。
しかし、その利便性は脅威と背中合わせでもあります。
人間の「倫理」が試されています。

生活を変え続けるインターネットの進化

「悪魔の誘い」と個人情報の問題

データサイエンスに関する倫理規定は、現時点では存在していません。扱うデータの量が急増し、種類も多様になったからこそ、倫理規定の作成は極めて重要な課題です。データの多種多様化は現在も続いているがゆえ、データを扱う人の倫理観も求められます。とはいえ、データを扱っていると、時には「悪魔の誘い」（筆者が経験から名づけた）に乗りたくなる瞬間が誰しもあるのではと思います。「悪魔の誘い」とは何なのでしょうか。

事例① 実験データの一部が異常値で、傾向から外れるときに「変更」してしまいたくなる

例えば、夜中に一人で分析しているときを想像してください。夜分ですから疲労も蓄積しています。そんなときに、「このデータさえなくなれば説明が完成する」という気持ちが生じることがあります。これが「悪魔の誘い」です。自分が説明したいことに対して、例外となる内容の場合、あるいは、このデータさえなければ論理展開がしやすいなどという場合があるのです。そのデータを除外した結果を作ってしまいたくなることがあります。善人、悪人のレベルではなく、このようなことは万人がしてしまう可能性があります。あくまでも可

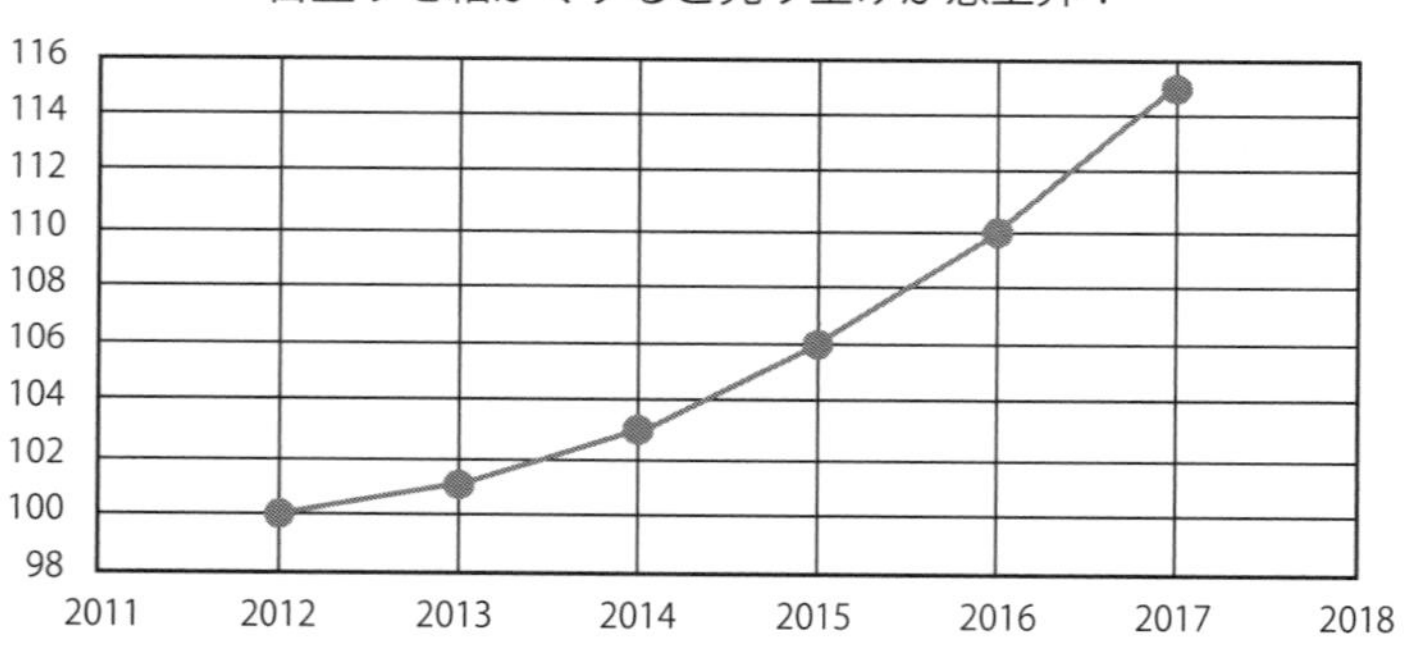

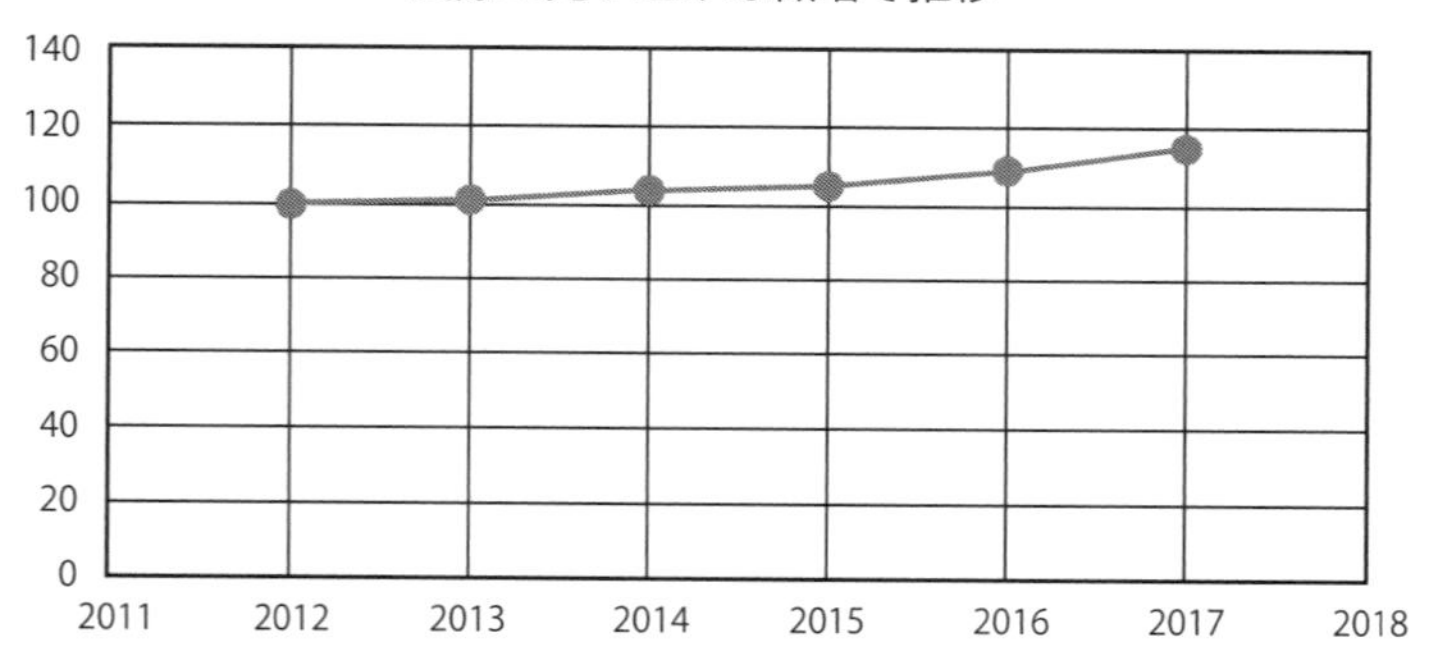

グラフ10　目盛りを変化させただけで印象は大きく変わる

能性として、です。

事例②　内容に間違いや改ざんなどがなくても、見せ方を意図的にリードしてしまう

例えば、データの差分を大きく見せるために目盛りのレンジを変えればよいと思いついてしまった。これも「悪魔の誘い」です。表示による印象操作をしたり、説明に有利なデータのみを選択したりしてしまうのです。この誘惑にかられて目盛りを変化させると、同じ結果でも全く異なる印象になります（グラフ10）。このような操作は、企業に大きな影響を及ぼす危険性を孕（はら）んでいます。

データサイエンスにおいては、「何を伝えなければいけないのか」「何をしてはいけないのか」の倫理観を持ち、健全なデータの見せ方に努める必要があります。

システムが身近になった（コンピュータ→パソコン→スマートフォン・SNS）ことにより、様々な問題も起こっています。

・ソフトウェアコピー（違法）
・コンピュータウイルス
・フィッシング
・SNSにおける個人情報の流出や中傷など
・SPAMメール
・その他

判例も出てきて合意形成されてきてはいますが、これらは私たちの身近で起こっていることです。データサイエンスとは関係なくとも意識する必要があります。

また、個人データ（個人情報）に対する認識が意外に低いのが現状です。その結果、情報の暴露や漏洩が多く発生しています。情報漏洩の当事者にならないように気をつけるべきことが多くあります。例えば、SNSにお子様の画像を掲載した場合、それはお子様が掲載を望んだことでしょうか。また、SNSに友人の画像を掲載した場合、了解を得たでしょうか。いずれも無断で掲載したのであれば、日時・場所に関連する個人情報を暴露したことになります。情報漏洩に当たります。

法律や規定の改正も進んでいます。個人情報に関連する環境の急激な変化から、2015年に個人情報保護法が改正されました。これと連動して、「人を対象とする医学的研究に関する倫理規程」(文部科学省)も改正されています。また2021年には、国の個人情報保護委員会(個情委)が顔認識カメラの画像データについて規制を強化する方針を固めました。このように、とくに個人情報に関する法律や規定は徐々に改正されており、今後もこの潮流は続くでしょう。

ここで最も大切なのは、「環境が変化し、個人情報の取り扱い方も変化している」ことです。この変化に無関心ではいけません。個人情報を扱うに当たっては、慎重の上に慎重を重ねて活動をしていく必要があります。

分散型インターネットの時代「Web3.0」

Web3.0は「次世代インターネット」とも呼ばれ、最近話題になっています。現在のインターネットとはどのように違うのでしょうか。

実は、Web3.0（Web3）は登場して間もない概念であるため、明確な定義はされていません。あえて表現するとすれば「分散型インターネットの時代」です。3・0はインターネットの世代を表しています。3・0が出てきた背景を見てみましょう。

●Web1・0（情報の発信者と閲覧者が固定されていた時代）

「www（World Wide Web）」が普及し、個人がウェブサイトを作って情報を発信できるようになった時代です。当初はｈｔｍｌ言語を利用したテキストサイトが主体で、画像・動画コンテンツは少なく、コミュニケーションの手段はメールが中心でした。情報の発信者と閲覧者による双方向のやりとりも、ほとんどできなかったのです。やがてユーザーがより自由にインターネットを使える環境になり、情報の発信者と閲覧者の双方向のコミュニケーションが可能になりました。

●Web 2・0（SNSが普及した時代）

ツイッターやユーチューブ、フェイスブック、インスタグラムなどのＳＮＳが普及した、いわゆる「現代のインターネット」です。誰もが気軽に発信者になることができ、画像や動画のコンテンツをシェアすることも容易になりました。今や欲しい情報に簡単にアクセスでき、多くの人が気軽につながることができます。

しかしながら、Ｗｅｂ２・０は中央集権的なサービスで成り立っているという側面があります。サービスの提供者である特定の企業に行動履歴などの情報が集中してしまうのです。サイバー攻撃によるセキュリティリスクや、個人情報のプライバシーが巨大企業に独占されるなどの問題が指摘されています。

その５大企業がＧＡＦＡＭ（グーグル、アマゾン、フェイスブック〈現メタ〉、アップル、マイクロソフト）です。これらビッグテックのエコシステム外では、デジタル上での通常の日常生活を送ることができないのではないかとも言われています。独占的支配への懸念から、米国司法省や連邦取引委員会、欧州委員会による独占禁止法違反の調査が行われています。ＳＮＳで個人をコントロールしているとも言われていますが、事実か否かはともかく、「個人のデータは誰のもの？」という根本的な疑問は残ります。これらの企業が個人情報、市場の権力、言論の自由と検閲、国家安全保障と法執行に与える影響を問題視する向きもありますが、消費者に無料のサービスを提供することで成長を続けています。

これから、すなわちWeb3.0は、GAFAMに独占されている権力の個人分散を目指す時代とされています。この分散を可能にするのがブロックチェーン技術です。インターネット上の取引データを適切に記録する技術で、現在はビットコインやイーサリアムなどの暗号通貨に使われています。今後、ブロックチェーン技術を用いたサービスが提供されると、複数のユーザーで取引情報を共有できます。どこかでデータの改ざんや複製、不正アクセスが行われた場合、他のユーザーとの差異が発生するため、不正がすぐに検出されます。ユーザー同士がネットワーク上で互いのデータをチェックし合うシステムと言えます。

ブロックチェーン技術を活用したWeb3.0は、Web2.0が抱えている特定企業が個人情報を握ることによるプライバシーの問題を解決し、情報漏洩のリスクを減らしていくと考えられています。

村上さん Web2.0で私たちの生活は大きく変わりました。そこに今は安住しているだけに、プライバシーや情報漏洩の問題は怖く感じます。Ｗｅｂ３．０になれば、少なくともＳＮＳの使い方は変わるように思います。

高木さん　ＳＮＳもそうですけど、ＥＣでの買い物や商品閲覧などもどのようになっていくのかなと思ってしまいます。

インターネット利用のリスクについては、現状では個人が可能な範囲で防御していくしかありません。一方、Ｗｅｂ３．０になれば、顧客のデータ（行動や購買）をしっかりと分析の対象にすることが可能になり、その分析をもとに新規事業を開発していけます。Ｗｅｂ３．０はデータサイエンスにとって非常に心強いモデルでもあります。

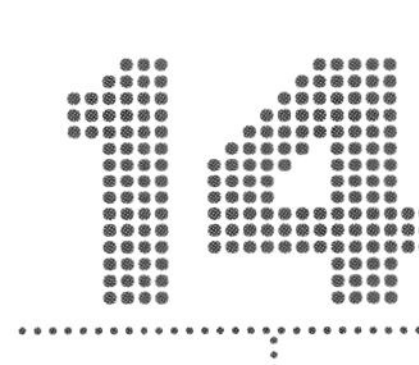

デジタル社会で改めて問われる人間の倫理

監視資本主義社会

監視資本主義社会とは、ウェブ上に記録された行動データなどの個人情報をもとに、企業が一人ひとりのユーザー（消費者）の行動を予測し、自分たちの狙いに合わせた行動へと誘導して、利益を上げる仕組みを指します。

この仕組みを構築している代表的な企業群がGAFAMです。巨大テック企業が展開するソーシャルメディアの脅威などデジタル社会の実態に迫る「監視資本主義：デジタル社会がもたらす光と影」というネットフリックスのドキュメンタリー作品は様々な気づきを与えてくれます。衝撃的なのは、GAFAMにとって「SNSや検索エンジンのユーザーは顧客ではない」ことです。SNSや検索エンジンといった無料で使える便利なウェブサービスでどのように稼いでいるのでしょうか。

その答えは「広告」です。サービスにお金を払っていないユーザーは顧客ではなく、企業から広告収入を得るための商品と捉えています。したがって、サービスは顧客である企業の利益を最大化するように設計されます。これによりユーザーの欲望や思想をサービスに取り込みながら、ユーザーを釘付けにし、SNSや検索エンジンへの依存度を高めていくのです。

この構造を知ったときはかなりショックを受けました。前述したように、データサイエンスのベースにある行動経済学はハートも重視しているだけに、ハートがなさ過ぎではないかと。技術は人の手に負えないインターネットへの依存を誘発しながら、その影響力を拡大しています。良くも悪くも進展を止められない技術に対して、私たちはどのように立ち向かえばいいのでしょうか。

まず考えるべきなのが、個々人が情報を精査し、省みることです。ＳＮＳなどを通じて拡散される情報には、もちろん人のためになるものがたくさんあります。しかし、悪意を孕んだ扇情的な情報が拡散されてしまうことも頻繁に起こっています。その結果、ケンブリッジ・アナリティカ事件（フェイスブック利用者の個人情報をコンサルティング会社のケンブリッジ・アナリティカが違法入手し、米国大統領選挙の結果を操作した事件）が起こったり、ポストトゥルース（世論形成が客観的な事実よりも虚偽情報による感情への訴えかけに強く影響される状況）の意図的な拡散が社会問題になるなどしています。情報にはフェイクも紛れているかもしれないということは、肝に銘じておく必要があります。

過剰な誘導やフェイクではなく、顧客を深く理解し、そのニーズに寄り添っていくという本来のあり方であれば、企業の成長は健全に為されていくはずです。そのための技術としてデータサイエンスはあることを、しっかりと覚えてください。

AIの著作権

ＡＩの進歩とともに、「著作権」や「知財」の概念も変化していく必要があります。

今や多数の画像データを使って、ＡＩで全く新規の画像を生成することが可能です。ＡＩに例えばゴッホが描いた絵画のデータを処理させ、その画法を理解させると、新作を生成することもできてしまいます。この場合、元の画像の著作権を侵害していないでしょうか。また、ＡＩが生成した画像に著作権は発生するのでしょうか。著作権を保有するのであれば、誰が保有するのでしょうか。著作権の問題は、画像のみならず様々な事象に関連します。論点が明確になっていないだけに気をつける必要があるでしょう。

渡辺さん　倫理の必要性はよくわかります。しかし定義や規定がないとなると、「悪魔の誘い」以外はどのように判断するのがよいのでしょうか。不安です。

浜田さん　何を基準に考えたらよいのかわからないと、何もしたくなくなるのではないでしょうか。危ない橋は渡りたくないですから。

高木さん　まったく。新しいことをやっていこうとしているときに強いブレーキをかけられたみたいな気分になります。

確かに不安になると思います。誰も行ったことがないことを行うときには、学校であれば講師、会社であれば上司に必ず相談しましょう。即答は得られないかもしれませんが、相談することによって、何らかの解答を出してくれる可能性があります。

一方、データサイエンスを進めていく上では、データ利用の可能性が縮小しているのではなく拡がっていると認識してください。ブレーキが踏まれているのではなく、アクセルが踏まれているのです。不安を払拭しながら前に進んでください。

Chapter 7
データサイエンスと倫理

おわりに

冒頭にも書きましたが、日本の企業のデータ活用は着実に進んでいると推察していました。しかし、現状は少なからず異なっているようです。企業から「社内でデータを使うことが少ない」などの問い合わせを受けることが増えています。しかし、悲観することはないと思います。データ活用の重要性は高まり、データを起点とするＤＸを推進する企業も増えています。データを意識することが増えたことで、「それにしてはデータを使っていない」と感じられているからです。

むしろ心配なのは、データサイエンティストがいればデータサイエンスは大丈夫とか、システムを導入すれば実現できるとか、安易に考えている企業が少なくないことです。自分たちが今後の方向性（仮説）を持つことなく、データサイエンスを進めている企業も多くあります。

なぜこのようなことになるのか。システムに関する間違った神話のようなものが、まだまだ存在しているように感じます。あくまでシステムは人間が行うことを支援するものです。「ヒューマンセントリック」を基本として、データを軸に企業文化を作っていく、あるいは作り替えていくことがとても重要です。だからこそ、本書では人がデータサイエンスを理解することの重要性を説いてきました。データを使う企業文化が育つか否かは、DXの成否も左右してしまうことを再認識する必要があります。

日本経済は長らく低迷が続き、長期化するコロナ禍やロシアによるウクライナ侵攻の影響など予断を許さない状況にあります。このままでは将来に向けて明るさが見えないままになり、若者のモチベーションの低下が著しくなるかもしれません。その中で今、国を挙げてデータサイエンティストの人材育成が始まろうとしています。叡智を振り絞る時です。世代を超えて将来の幸せへとベクトルを合わせ、DXを進めていただきたいと願っています。

最後になりましたが、本書の執筆にご協力をいただいた方々に感謝申し上げます。生活者の行動の変容や経営環境の変化などを前向きに考え、より良い企業、より良い社会を作っていきましょう。

2022年8月　田中　康寛

著者紹介

田中 康寛　Yasuhiro Tanaka
1981年、日本NCR株式会社に入社。NCRから分離した日本テラデータ株式会社でコンサルティング部長などを歴任。その後、デロイトトーマツコンサルティング合同会社に入社。2015年、田中リテールマーケティング合同会社を起業し、現在に至る。日本マーケティング学会会員、杉野服飾大学特任講師（マーケティング・データサイエンス論）。流通業、運輸業を中心とした業務改革、経営・顧客・商品戦略等の実行支援までできることが強み。

データ思考が未来を変える
DX時代を勝ち抜くデータサイエンスの導入と活用

2022年9月5日　初版 第1刷発行

著　　者　田中 康寛
発 行 者　佐々木 幸二
発 行 所　繊研新聞社
〒103-0015
東京都中央区日本橋箱崎町31-4 箱崎314ビル
TEL.03（3661）3681
FAX.03（3666）4236
制　　作　STOCK & FLOW CREATION
印刷・製本　中央精版印刷株式会社

乱丁・落丁本はお取り替えいたします。

ISBN978-4-88124-342-8 C3063